Texte, Manifeste, Dokumente

Herausgegeben von Karl Riha
und Waltraud Wende-Hohenberger

Philipp Reclam jun. Stuttgart

Umschlagabbildung: Zeichnung von Hans Arp auf dem Umschlag der von Hugo Ball herausgegebenen Sammlung »Cabaret Voltaire«, Zürich 1916.

Universal-Bibliothek Nr. 8650

Durchgesehene Ausgabe 1995
Gesamtherstellung: Reclam, Ditzingen. Printed in Germany 1995
RECLAM und UNIVERSAL-BIBLIOTHEK sind eingetragene
Warenzeichen der Philipp Reclam jun. GmbH & Co., Stuttgart
ISBN 3-15-008650-7

# Inhalt

HUGO BALL
Die Flucht aus der Zeit (Auszüge) . . . . . . . . . . 7

## Manifeste

RICHARD HUELSENBECK
Erklärung . . . . . . . . . . . . . . . . . . . . . . 29

HUGO BALL
Eroeffnungs-Manifest . . . . . . . . . . . . . . . . . 30

TRISTAN TZARA
Manifest des Herrn Antipyrine . . . . . . . . . . . . 31

HANS RICHTER
Gegen Ohne Für Dada . . . . . . . . . . . . . . . . . 33

TRISTAN TZARA
Manifest Dada 1918 . . . . . . . . . . . . . . . . . . 36

WALTER SERNER
Letzte Lockerung manifest . . . . . . . . . . . . . . 47

## Texte · Dokumente

EMMY HENNINGS
Nach dem Cabaret . . . . . . . . . . . . . . . . . . . 57
Tänzerin . . . . . . . . . . . . . . . . . . . . . . . 57
Gesang zur Dämmerung . . . . . . . . . . . . . . . . . 58
Ätherstrophen . . . . . . . . . . . . . . . . . . . . . 58
Morfin . . . . . . . . . . . . . . . . . . . . . . . . 59

HUGO BALL
Totentanz . . . 60
Cabaret . . . 61
Sieben schizophrene Sonette . . . 62
Der grüne König . . . 62
Die Erfindung . . . 63
Der Dorfdadaist . . . 63
Der Schizophrene . . . 64
Das Gespenst . . . 64
Der Pasquillant . . . 65
Intermezzo . . . 66
Karawane . . . 66
Seepferdchen und Flugfische . . . 67
Gadji beri bimba . . . 68
Totenklage . . . 69
Piffalamozza (Der Stier) . . . 70
Das Carousselpferd Johann . . . 71

RICHARD HUELSENBECK
Der Idiot . . . 74
Ebene . . . 75
Flüsse . . . 77
Dada-Gedicht . . . 78
Ende der Welt . . . 85
Schalaben – schalabai – schalamezomai . . . 86
Chorus sanctus . . . 88
Die Primitiven . . . 88
Der redende Mensch . . . 88
Die Kesselpauke . . . 89

HANS ARP
Die Schwalbenhode . . . 91
Ich bin der große Derdiedas . . . 94
Der poussierte Gast . . . 95
Weltwunder . . . 100
te gri ro ro . . . 100
Die Wolkenpumpe (Auszug) . . . 101

TRISTAN TZARA

Negerlieder . . . . . . . . . . . . . . . . . . . . . 104
Textbild . . . . . . . . . . . . . . . . . . . . . . 106
Das erste und das zweite himmlische Abenteuer des Herrn Antipyrine . . . . . . . . . . . . . . . . 107
der seemann . . . . . . . . . . . . . . . . . . . . 111
frühlingszeit . . . . . . . . . . . . . . . . . . . . 111
glasklar ein sprung . . . . . . . . . . . . . . . . . 112
kalenderblock . . . . . . . . . . . . . . . . . . . . 113
dada revue 2 . . . . . . . . . . . . . . . . . . . . 114
totale fahrt durch mond und farbe . . . . . . . . . . 115
abrakadabrakadaver . . . . . . . . . . . . . . . . . 117

WALTER SERNER

Manschette 7 . . . . . . . . . . . . . . . . . . . . 118
Manschette 9 . . . . . . . . . . . . . . . . . . . . 118
Manschette 5 . . . . . . . . . . . . . . . . . . . . 119
Bestes Pflaster auch roter Segen . . . . . . . . . . 119
Das bessere Negerdorf mit Glasschuppen . . . . . . . 121
Der serbische Olymp oder der schlecht ermordete Detektiv . . . . . . . . . . . . . . . . . . . . . . 122
*Zeitungsbluff*
Ein Aufsehen erregendes Duell . . . . . . . . . . . 122
Dementi . . . . . . . . . . . . . . . . . . . . . . 123
Ein Aufsehen erregendes Duell . . . . . . . . . . . 124
Erklärung . . . . . . . . . . . . . . . . . . . . . 124

HUGO BALL u. a.

Ein Krippenspiel. Bruitistisch . . . . . . . . . . . 125

RICHARD HUELSENBECK · MARCEL JANCO · TRISTAN TZARA

L'amiral cherche une maison à louer . . . . . . . . . 130

RICHARD HUELSENBECK · TRISTAN TZARA

Dialogue entre un cocher et une alouette . . . . . . . 132

HANS ARP · WALTER SERNER · TRISTAN TZARA
Die Hyperbel vom Krokodilcoiffeur und dem Spazierstock . . . . . . . . . . . . . . . . . . . . . 134
Rattaplasma . . . . . . . . . . . . . . . . . . . . . 135
Der automatische Gascogner . . . . . . . . . . . . 135
Montgolfier Institut für Schönheitspflege . . . . . . . 136

## Anhang

Textnachweise und Anmerkungen . . . . . . . . . . . 139
Kurzbiographien . . . . . . . . . . . . . . . . . . . 161
Literaturhinweise . . . . . . . . . . . . . . . . . . 165
*Nachwort:* Dada in Zürich . . . . . . . . . . . . . . 167

HUGO BALL

# Die Flucht aus der Zeit

Auszüge

Zürich, 2. II. 1916

»Cabaret Voltaire. Unter diesem Namen hat sich eine Gesellschaft junger Künstler und Literaten etabliert, deren Ziel es ist, einen Mittelpunkt für die künstlerische Unterhaltung zu schaffen. Das Prinzip des Kabaretts soll sein, daß bei den täglichen Zusammenkünften musikalische und rezitatorische Vorträge der als Gäste verkehrenden Künstler stattfinden, und es ergeht an die junge Künstlerschaft Zürichs die Einladung, sich ohne Rücksicht auf eine besondere Richtung mit Vorschlägen und Beiträgen einzufinden.«

(Pressenotiz)

5. II.

Das Lokal war überfüllt; viele konnten keinen Platz mehr finden. Gegen sechs Uhr abends, als man noch fleißig hämmerte und futuristische Plakate anbrachte, erschien eine orientalisch aussehende Deputation von vier Männlein, Mappen und Bilder unterm Arm; vielmals diskret sich verbeugend. Es stellten sich vor: Marcel Janco der Maler, Tristan Tzara, Georges Janco und ein vierter Herr, dessen Name mir entging. Arp war zufällig auch da und man verständigte sich ohne viel Worte. Bald hingen Jancos generöse »Erzengel« bei den übrigen schönen Sachen, und Tzara las noch am selben Abend Verse älteren Stiles, die er in einer nicht unsympathischen Weise aus den Rocktaschen zusammensuchte.

11. II.

Huelsenbeck ist angekommen. Er plädiert dafür, daß man den Rhythmus verstärkt (den Negerrhythmus). Er möchte am liebsten die Literatur in Grund und Boden trommeln.

26. II.

[...]

Ein undefinierbarer Rausch hat sich aller bemächtigt. Das kleine Kabarett droht aus den Fugen zu gehen und wird zum Tummelplatz verrückter Emotionen.

1. III.

Arp erklärt sich gegen die Geschwollenheit der malenden Herrgötter (Expressionisten). Marcs Stiere sind ihm zu fett; Baumanns und Meidners Kosmogonien und irrsinnige Fixsterne erinnern ihn an Bölsche und Carus Sterne. Er möchte die Dinge strenger geordnet wissen, weniger willkürlich, weniger strotzend von Farbe und Poesie. Er empfiehlt die Planimetrie gegen die gemalten Weltauf- und -untergänge. Wenn er für das Primitive eintritt, meint er den ersten abstrakten Aufriß, der die Komplikationen zwar kennt, aber sich nicht mit ihnen einläßt. Das Sentiment soll fallen und auch die erst auf der Leinwand erfolgende Auseinandersetzung. Eine Verliebtheit in Kreis und Würfel, in scharf schneidende Linien. Er ist für die Verwendung eindeutiger (am liebsten gedruckter) Farben (buntes Papier und Stoff); überhaupt für die Einbeziehung der maschinellen Akkuratesse. Mir scheint, er liebt Kant und Preußen, weil sie (auf dem Exerzierplatz und in der Logik) für die geometrische Aufteilung der Räume sind. Jedenfalls liebt er das Mittelalter am meisten seiner Heraldik wegen, die phantastisch und doch präzis, ganz da ist, bis in die letzte überhaupt hervortretende Kontur. Wenn ich ihn recht verstehe, kommt es ihm nicht so sehr auf Reichtum, als auf Vereinfachung an. Was die Kunst vom Amerikanismus in ihre Prinzipien aufnehmen kann, darf sie nicht verschmähen; sie verbleibt

sonst in einer sentimentalen Romantik. Gestalten heißt ihm: sich abgrenzen gegen das Unbestimmte und Nebulose. Er möchte die Imagination reinigen und alle Anspannung auf das Erschließen nicht so sehr ihres Bilderschatzes als dessen richten, was diese Bilder konstituiert. Seine Voraussetzung dabei ist, daß die Bilder der Imagination bereits Zusammensetzungen sind. Der Künstler, der aus der freischaltenden Imagination heraus arbeitet, erliegt in puncto Ursprünglichkeit einer Täuschung. Er benutzt ein Material, das bereits gestaltet ist, und nimmt also Klitterungen vor.
[...]

2. III.

[...]
Unser Versuch, das Publikum mit künstlerischen Dingen zu unterhalten, drängt uns in ebenso anregender wie instruktiver Weise zum ununterbrochen Lebendigen, Neuen, Naiven. Es ist mit den Erwartungen des Publikums ein Wettlauf, der alle Kräfte der Erfindung und der Debatte in Anspruch nimmt. Man kann nicht gerade sagen, daß die Kunst der letzten zwanzig Jahre heiter gewesen und daß die modernen Dichter sehr unterhaltsam und volkstümlich seien. Nirgends so sehr als beim öffentlichen Vortrag ergeben sich die Schwächen einer Dichtung. Das eine ist sicher, daß die Kunst nur solange heiter ist, als sie der Fülle und der Lebendigkeit nicht entbehrt. Das laute Rezitieren ist mir zum Prüfstein der Güte eines Gedichtes geworden, und ich habe mich (vom Podium) belehren lassen, in welchem Ausmaße die heutige Literatur problematisch, das heißt am Schreibtische erklügelt und für die Brille des Sammlers, statt für die Ohren lebendiger Menschen gefertigt ist.

5. III.

[...]
Daß das Bild des Menschen in der Malerei dieser Zeit mehr und mehr verschwindet und alle Dinge nur noch in der Zersetzung vorhanden sind, das ist ein Beweis mehr, wie

häßlich und abgegriffen das menschliche Antlitz, und wie verabscheuenswert jeder einzelne Gegenstand unserer Umgebung geworden ist. Der Entschluß der Poesie, aus ähnlichen Gründen die Sprache fallen zu lassen, steht nahe bevor. Das sind Dinge, die es vielleicht noch niemals gegeben hat.

Alles funktioniert, nur der Mensch selber nicht mehr.

11. III.

Am 9ten las Huelsenbeck. Er gibt, wenn er auftritt, sein Stöckchen aus spanischem Rohr nicht aus der Hand und fitzt damit ab und zu durch die Luft. Das wirkt auf die Zuhörer aufregend. Man hält ihn für arrogant und er sieht auch so aus. Die Nüstern beben, die Augenbrauen sind hoch geschwungen. Der Mund, um den ein ironisches Zukken spielt, ist müde und doch gefaßt. Also liest er, von der großen Trommel, Brüllen, Pfeifen und Gelächter begleitet:

> Langsam öffnete der Häuserklump seines Leibes Mitte.
> Dann schrien die geschwollenen Hälse der Kirchen nach den Tiefen über ihnen.
> Hier jagten sich wie Hunde die Farben aller je gesehenen Erden.
> Alle je gehörten Klänge stürzten rasselnd in den Mittelpunkt.
> Es zerbrachen die Farben und Klänge wie Glas und Zement
> und weiche dunkle Tropfen schlugen schwer herunter ...

Seine Verse sind ein Versuch, die Totalität dieser unnennbaren Zeit mit all ihren Rissen und Sprüngen, mit all ihren bösartigen und irrsinnigen Gemütlichkeiten, mit all ihrem Lärm und dumpfen Getöse in eine erhellte Melodie aufzufangen. Aus den phantastischen Untergängen lächelt das Gorgohaupt eines maßlosen Schreckens.

12. III.

Statt der Prinzipien Symmetrien und Rhythmen einführen. Die Weltordnungen und Staatsaktionen widerlegen, indem man sie in einen Satzteil oder einen Pinselstrich verwandelt.

Die distanzierende Erfindung ist das Leben selber. Seien wir neu und erfinderisch von Grund aus. Dichten wir das Leben täglich um.

Was wir zelebrieren, ist eine Buffonade und eine Totenmesse zugleich.

15. III.

Das Kabarett bedarf einer Erholung. Das tägliche Auftreten bei dieser Spannung erschöpft nicht nur, es zermürbt. Inmitten des Trubels befällt mich ein Zittern am ganzen Körper. Ich kann dann einfach nicht mehr aufnehmen, lasse alles stehen und liegen und flüchte.

30. III.

Alle Stilarten der letzten zwanzig Jahre gaben sich gestern ein Stelldichein. Huelsenbeck, Tzara und Janco traten mit einem »Poème simultan« auf. Das ist ein kontrapunktisches Rezitativ, in dem drei oder mehrere Stimmen gleichzeitig sprechen, singen, pfeifen oder dergleichen, so zwar, daß ihre Begegnungen den elegischen, lustigen oder bizarren Gehalt der Sache ausmachen. Der Eigensinn eines Organons kommt in solchem Simultangedichte drastisch zum Ausdruck, und ebenso seine Bedingtheit durch die Begleitung. Die Geräusche (ein minutenlang gezogenes rrrrr, oder Polterstöße oder Sirenengeheul und dergleichen), haben eine der Menschenstimme an Energie überlegene Existenz.
Das »Poème simultan« handelt vom Wert der Stimme. Das menschliche Organ vertritt die Seele, die Individualität in ihrer Irrfahrt zwischen dämonischen Begleitern. Die Geräusche stellen den Hintergrund dar; das Unartikulierte, Fatale,

Bestimmende. Das Gedicht will die Verschlungenheit des Menschen in den mechanistischen Prozeß verdeutlichen. In typischer Verkürzung zeigt es den Widerstreit der vox humana mit einer sie bedrohenden, verstrickenden und zerstörenden Welt, deren Takt und Geräuschablauf unentrinnbar sind.
Auf das Poème simultan (nach dem Vorbild von Henri Barzun und Fernand Divoire) folgen »Chant nègre I und II«, beide zum ersten Mal. »Chant nègre (oder funèbre) N. I« war besonders vorbereitet und wurde in schwarzen Kutten mit großen und kleinen exotischen Trommeln wie ein Femgericht exekutiert. Die Melodien zu »Chant nègre II« lieferte unser geschätzter Gastgeber, Mr. Jan Ephraim, der sich vor Zeiten bei afrikanischen Konjunkturen des längeren aufgehalten und als belehrende und belebende Primadonna mit um die Aufführung wärmstens bemüht war.

8. IV.

[...]
Die Kunst unserer Zeit hat es in ihrer Phantastik, die von der vollendeten Skepsis herrührt, zunächst nicht mit Gott, sondern mit dem Dämon zu tun; sie selber ist dämonisch. Alle Skepsis aber und alle skeptische Philosophie, die dieses Resultat vorbereiteten, sind es ebenso.

11. IV.

Man plant eine »Gesellschaft Voltaire« und eine internationale Ausstellung. Der Ertrag der Soiréen soll einer herauszugebenden Anthologie zugutekommen. H. spricht gegen ›Organisierung‹; man habe genug davon. Ich bin ganz seiner Meinung. Man soll aus einer Laune nicht eine Kunstrichtung machen.

Spät gegen zwölf kommt eine ganze Gesellschaft holländischer Jungs. Sie haben Banjos und Mandolinen mitgebracht und benehmen sich wie die kompletten Narren. Einen ihrer

Klique nennen sie den ›Öl im Knie‹. Dieser Herr Ölimknie macht den Obermimen, indem er drapiert aufs Podium steigt und unter allerlei Verrenkungen, Beugen und Schlottern der Knie Exzentricsteps vorführt. Ein anderer, lang, blond (›brav Kerl, dem was Rechts aus den Augen schaut‹), nennt mich in einem fort und unendliche Male forciert ›Herr Direktor‹ und bittet um die Erlaubnis, ein wenig tanzen zu dürfen. Also tanzen sie und stellen schließlich das ganze Lokal auf den Kopf. Sogar der alte Jan mit seinem gepflegten Bart und ergrauten Haar, unser würdiger Grill-Room- und Herbergsvater, beginnt feurige Augen und Klappschritte zu machen. Die klimpernde Kirmes setzt sich bis auf die Straße fort.

13. IV.

Abstrakte Kunst (für die unentwegt Hans Arp eintritt). Die Abstraktion ist Gegenstand der Kunst geworden. Ein Formprinzip vernichtet das andere, oder: die Form vernichtet den Formalismus. Das abstrakte Zeitalter ist im Prinzip überwunden. Großer Triumph, der Kunst über die Maschine.
[. . .]

14. IV.

Unser Kabarett ist eine Geste. Jedes Wort, das hier gesprochen und gesungen wird, besagt wenigstens das eine, daß es dieser erniedrigenden Zeit nicht gelungen ist, uns Respekt abzunötigen. Was wäre auch respektabel und imponierend an ihr? Ihre Kanonen? Unsere große Trommel übertönt sie. Ihr Idealismus? Er ist längst zum Gelächter geworden, in seiner populären und seiner akademischen Ausgabe. Die grandiosen Schlachtfeste und kannibalischen Heldentaten? Unsere freiwillige Torheit, unsere Begeisterung für die Illusion wird sie zuschanden machen.

18. IV.

[. . .]
Tzara quält wegen der Zeitschrift. Mein Vorschlag, sie Dada zu nennen, wird angenommen. Bei der Redaktion könnte man alternieren: ein gemeinsamer Redaktionsstab, der dem einzelnen Mitglied für je eine Nummer die Sorge um Auswahl und Anordnung überläßt. Dada heißt im Rumänischen Ja Ja, im Französischen Hotto- und Steckenpferd. Für Deutsche ist es ein Signum alberner Naivität und zeugungsfroher Verbundenheit mit dem Kinderwagen.

24. V.

Wir sind fünf Freunde, und das Merkwürdige ist, daß wir eigentlich nie gleichzeitig und völlig übereinstimmen, obgleich uns in der Hauptsache dieselbe Überzeugung verbindet. Die Konstellationen wechseln. Bald verstehen sich Arp und Huelsenbeck und scheinen unzertrennlich, dann verbinden sich Arp und Janco gegen H., dann H. und Tzara gegen Arp usw. Es ist eine ununterbrochen wechselnde Anziehung und Abneigung. Ein Einfall, eine Geste, eine Nervosität genügt, und die Konstellation ändert sich, ohne den kleinen Kreis indessen ernstlich zu stören.
Gegenwärtig ist mir Janco besonders nahe. Er ist ein großer schlanker Mensch, der auffällt durch die Eigenschaft, für alle Art fremder Torheit und Bizarrerie Verlegenheit zu empfinden und dann mit einem Lächeln oder einer zärtlichen Bewegung um Nachsicht oder Verständnis zu bitten. Er ist der einzige unter uns, der keine Ironie braucht, um mit der Zeit fertig zu werden. Ein melancholischer Ernst gibt seinem Wesen in unbewachten Momenten eine Nuance von Verachtung und süperber Feierlichkeit.

Janco hat für die neue Soirée eine Anzahl Masken gemacht, die mehr als begabt sind. Sie erinnern an das japanische oder altgriechische Theater und sind doch völlig modern. Für die Fernwirkung berechnet, tun sie in dem verhältnismäßig kleinen Kabarettraum eine unerhörte Wirkung. Wir waren alle zugegen, als Janco mit seinen Masken ankam und jeder band sich sogleich eine um. Da geschah nun etwas Seltsames. Die Maske verlangte nicht nur sofort nach einem Kostüm, sie diktierte auch einen ganz bestimmten pathetischen, ja an Irrsinn streifenden Gestus. Ohne es fünf Minuten vorher auch nur geahnt zu haben, bewegten wir uns in den absonderlichsten Figuren, drapiert und behängt mit unmöglichen Gegenständen, einer den anderen in Einfällen überbietend. Die motorische Gewalt dieser Masken teilte sich uns in frappierender Unwiderstehlichkeit mit. Wir waren mit einem Male darüber belehrt, worin die Bedeutung einer solchen Larve für die Mimik, für das Theater bestand. Die Masken verlangten einfach, daß ihre Träger sich zu einem tragisch-absurden Tanz in Bewegung setzten.

Wir sahen uns jetzt die aus Pappe geschnittenen, bemalt und beklebten Dinger genauer an und abstrahierten von ihrer vieldeutigen Eigenheit eine Anzahl von Tänzen, zu denen ich auf der Stelle je ein kurzes Musikstück erfand. Den einen Tanz nannten wir »Fliegenfangen«. Zu dieser Maske paßten nur plumpe tappende Schritte und einige hastig fangende, weit ausholende Posen, nebst einer nervösen schrillen Musik. Den zweiten Tanz nannten wir »Cauchemar«. Die tanzende Gestalt geht aus geduckter Stellung geradeaus aufwachsend nach vorn. Der Mund der Maske ist weit geöffnet, die Nase breit und verschoben. Die drohend erhobenen Arme der Darstellerin sind durch besondere Röhren verlängert. Den dritten Tanz nannten wir »Festliche Verzweiflung«. An den gewölbten Armen hängen lang ausgeschnittene Goldhände. Die Figur dreht sich einige Male nach links und nach rechts, dann langsam um ihre Achse und fällt schließlich blitzartig in sich zusammen, um langsam zur ersten Bewegung zurückzukehren.

Was an den Masken uns allesamt fasziniert, ist, daß sie nicht menschliche, sondern überlebensgroße Charaktere und Leidenschaften verkörpern. Das Grauen dieser Zeit, der paralysierende Hintergrund der Dinge ist sichtbar gemacht.

3. VI.

Annemarie durfte uns zur Soirée begleiten. Sie geriet ob all den Farben und des Taumels außer Rand und Band. Sie wollte sogleich auf das Podium und ›auch etwas vortragen‹. Wir konnten sie nur mit Mühe davon abhalten. Das »Krippenspiel« (Concert bruitiste, den Evangelientext begleitend) wirkte in seiner leisen Schlichtheit überraschend und zart. Die Ironien hatten die Luft gereinigt. Niemand wagte zu lachen. In einem Kabarett und gerade in diesem hätte man das kaum erwartet. Wir begrüßten das Kind, in der Kunst und im Leben.

[. . .]
Es waren Japaner und Türken da, die recht verwundert dem Treiben zusahen. Ich empfand zum ersten Mal mit Beschämung den Lärm unserer Sache, das Durcheinander der Stilarten und der Gesinnung, Dinge, die ich physisch schon seit Wochen nicht mehr ertrage.

12. VI.

Was wir Dada nennen, ist ein Narrenspiel aus dem Nichts, in das alle höheren Fragen verwickelt sind; eine Gladiatorengeste; ein Spiel mit den schäbigen Überbleibseln; eine Hinrichtung der posierten Moralität und Fülle.

Der Dadaist liebt das Außergewöhnliche, ja das Absurde. Er weiß, daß sich im Widerspruche das Leben behauptet und daß seine Zeit wie keine vorher auf die Vernichtung des Generösen abzielt. Jede Art Maske ist ihm darum willkommen. Jedes Versteckspiel, dem eine düpierende Kraft innewohnt. Das Direkte und Primitive erscheint ihm inmitten enormer Unnatur als das Unglaubliche selbst.

Da der Bankrott der Ideen das Menschenbild bis in die innersten Schichten zerblättert hat, treten in pathologischer Weise die Triebe und Hintergründe hervor. Da keinerlei Kunst, Politik oder Bekenntnis diesem Dammbruch gewachsen scheinen, bleibt nur die Blague und die blutige Pose.

Der Dadaist vertraut mehr der Aufrichtigkeit von Ereignissen als dem Witz von Personen. Personen sind bei ihm billig zu haben, die eigne Person nicht ausgenommen. Er glaubt nicht mehr an die Erfassung der Dinge aus *einem* Punkte, und ist doch noch immer dergestalt von der Verbundenheit aller Wesen, von der Gesamthaftigkeit überzeugt, daß er bis zur Selbstauflösung an den Dissonanzen leidet.

Der Dadaist kämpft gegen die Agonie und den Todestaumel der Zeit. Abgeneigt jeder klugen Zurückhaltung, pflegt er die Neugier dessen, der eine belustigte Freude noch an der fraglichsten Form der Fronde empfindet. Er weiß, daß die Welt der Systeme in Trümmer ging, und daß die auf Barzahlung drängende Zeit einen Ramschausverkauf der entgötterten Philosophien eröffnet hat. Wo für die Budenbesitzer der Schreck und das schlechte Gewissen beginnt, da beginnt für den Dadaisten ein helles Gelächter und eine milde Begütigung.

15. VI.

[...]
Huelsenbeck kommt, um auf der Maschine seine neusten Verse abzuschreiben. Bei jeder zweiten Vokabel wendet er den Kopf und sagt: Oder ist das etwa von Dir? Ich schlage scherzhaft vor, jeder solle ein alphabetisches Verzeichnis seiner geprägtesten Sternbilder und Satzteile anfertigen, damit das Produzieren ungestört vonstatten gehe; denn auch ich sitze, fremde Vokabeln und Assoziationen abwehrend,

auf der Fensterbank, kritzle und schaue dem Schreiner zu, der unten im Hof mit seinen Särgen hantiert. Wenn man genau sein wollte: zwei Drittel der wunderbar klagenden Worte, denen kein Menschengemüt widerstehen mag, stammen aus uralten Zaubertexten. Die Verwendung von ›Siegeln‹, von magisch erfüllten fliegenden Worten und Klangfiguren kennzeichnet unsere gemeinsame Art zu dichten. Solcherlei Wortbilder, wenn sie gelungen sind, graben sich unwiderstehlich und mit hypnotischer Macht dem Gedächtnis ein, und ebenso unwiderstehlich und reibungslos tauchen sie aus dem Gedächtnisse wieder auf. Ich erlebe es häufig, daß Leute, die unvorbereitet unsere Abende besuchten, von einem einzelnen Worte oder Satzglied derart beeindruckt wurden, daß es sie wochenlang nicht mehr verließ. Gerade bei lässigen oder apathischen Menschen, deren Widerstand gering ist, entwickelt sich diese Art Plage. Huelsenbecks Götzengebete und einzelne Kapitel meines Romans wirken so.

16. VI.

Die Bildungs- und Kunstideale als Varietéprogramm –: das ist unsere Art von »Candide« gegen die Zeit. Man tut so, als ob nichts geschehen wäre. Der Schindanger wächst und man hält am Prestige der europäischen Herrlichkeit fest. Man sucht das Unmögliche möglich zu machen und den Verrat am Menschen, den Raubbau an Leib und Seele der Völker, dies zivilisierte Gemetzel in einen Triumph der europäischen Intelligenz umzulügen. Man führt eine Farce auf, dekretierend, nun habe Karfreitagsstimmung zu herrschen, die weder durch ein verstohlenes Klimpern auf halber Laute, noch durch ein Augenzwinkern dürfe gestört und gelästert werden. Darauf ist zu sagen: Man kann nicht verlangen, daß wir die üble Pastete von Menschenfleisch, die man uns präsentiert, mit Behagen verschlucken. Man kann nicht verlangen, daß unsere zitternden Nüstern den Leichendunst mit Bewunderung einsaugen. Man kann nicht erwarten, daß wir die täglich fataler sich offenbarende Stumpfheit und Herzenskälte mit Heroismus verwechseln. Man wird einmal einräumen müssen, daß wir sehr höflich, ja rührend reagierten. Die grellsten Pamphlete reichten nicht hin, die allgemein herrschende Hypokrisie gebührend mit Lauge und Hohn zu begießen.

18. VI.

Wir haben die Plastizität des Wortes jetzt bis zu einem Punkte getrieben, an dem sie schwerlich mehr überboten werden kann. Wir erreichten dies Resultat auf Kosten des logisch gebauten, verstandesmäßigen Satzes und demnach auch unter Verzicht auf ein dokumentarisches Werk (als welches nur mittels zeitraubender Gruppierung von Sätzen in einer logisch geordneten Syntax möglich ist). Was uns bei unseren Bemühungen zustatten kam, waren zunächst die besonderen Umstände dieser Zeit, die eine Begabung von Rang weder ruhen noch reifen läßt und sie somit auf die Prüfung der Mittel verweist. Sodann aber war es der emphatische Schwung unseres Zirkels, von dessen Teilnehmern einer den andern stets durch Verschärfung der Forderungen und der Akzente zu überbieten suchte. Mag man immer lächeln: die Sprache wird uns unseren Eifer einmal danken, auch wenn ihm keine direkt sichtbare Folge beschieden sein sollte. Wir haben das Wort mit Kräften und Energien geladen, die uns den evangelischen Begriff des ›Wortes‹ (logos) als eines magischen Komplexbildes wieder entdecken ließen.
Mit der Preisgabe des Satzes dem Worte zuliebe begann resolut der Kreis um Marinetti mit den ›Parole in libertà‹. Sie nahmen das Wort aus dem gedankenlos und automatisch ihm zuerteilten Satzrahmen (dem Weltbilde) heraus, nährten die ausgezehrte Großstadtvokabel mit Licht und Luft, gaben ihre Wärme, Bewegung und ihre ursprünglich unbekümmerte Freiheit wieder. Wir andern gingen noch einen Schritt weiter. Wir suchten der isolierten Vokabel die Fülle

einer Beschwörung, die Glut eines Gestirns zu verleihen. Und seltsam: die magisch erfüllte Vokabel beschwor und gebar einen *neuen* Satz, der von keinerlei konventionellem Sinn bedingt und gebunden war. An hundert Gedanken zugleich anstreifend, ohne sie namhaft zu machen, ließ dieser Satz das urtümlich spielende, aber versunkene, irrationale Wesen des Hörers erklingen; weckte und bestärkte er die untersten Schichten der Erinnerung. Unsere Versuche streiften Gebiete der Philosophie und des Lebens, von denen sich unsere ach so vernünftige, altkluge Umgebung kaum etwas träumen ließ.

23. VI.

[. . .]

Ich habe eine neue Gattung von Versen erfunden, »Verse ohne Worte« oder Lautgedichte, in denen das Balancement der Vokale nur nach dem Werte der Ansatzreihe erwogen und ausgeteilt wird. Die ersten dieser Verse habe ich heute abend vorgelesen. Ich hatte mir dazu ein eigenes Kostüm konstruiert. Meine Beine standen in einem Säulenrund aus blauglänzendem Karton, der mir schlank bis zur Hüfte reichte, so daß ich bis dahin wie ein Obelisk aussah. Darüber trug ich einen riesigen, aus Pappe geschnittenen Mantelkragen, der innen mit Scharlach und außen mit Gold beklebt, am Halse derart zusammengehalten war, daß ich ihn durch Heben und Senken der Ellbogen flügelartig bewegen konnte. Dazu einen zylinderartigen, hohen, weiß und blau gestreiften Schamanenhut.

Ich hatte an allen drei Seiten des Podiums gegen das Publikum Notenständer errichtet und stellte darauf mein mit Rotstift gemaltes Manuskript, bald am einen, bald am andern Notenständer zelebrierend. Da Tzara von meinen Vorbereitungen wußte, gab es eine richtige kleine Premiere. Alle waren neugierig. Also ließ ich mich, da ich als Säule nicht gehen konnte, in der Verfinsterung auf das Podest tragen und begann langsam und feierlich:

gadji beri bimba
glandridi lauli lonni cadori
gadjama bim beri glassala
glandridi glassala tuffm i zimbrabim
blassa galassasa tuffm i zimbrabim ...

Die Akzente wurden schwerer, der Ausdruck steigerte sich in der Verschärfung der Konsonanten. Ich merkte sehr bald, daß meine Ausdrucksmittel, wenn ich ernst bleiben wollte (und das wollte ich um jeden Preis), dem Pomp meiner Inszenierung nicht würden gewachsen sein. Im Publikum sah ich Brupbacher, Jelmoli, Laban, Frau Wigman. Ich fürchtete eine Blamage und nahm mich zusammen. Ich hatte jetzt rechts am Notenständer »Labadas Gesang an die Wolken« und links die »Elefantenkarawane« absolviert und wandte mich wieder zur mittleren Staffelei, fleißig mit den Flügeln schlagend. Die schweren Vokalreihen und der schleppende Rhythmus der Elefanten hatten mir eben noch eine letzte Steigerung erlaubt. Wie sollte ich's aber zu Ende führen? Da bemerkte ich, daß meine Stimme, der kein anderer Weg mehr blieb, die uralte Kadenz der priesterlichen Lamentation annahm, jenen Stil des Meßgesangs, wie er durch die katholischen Kirchen des Morgen- und Abendlandes wehklagt.

Ich weiß nicht, was mir diese Musik eingab. Aber ich begann meine Vokalreihen rezitativartig im Kirchenstile zu singen und versuchte es, nicht nur ernst zu bleiben, sondern mir auch den Ernst zu erzwingen. Einen Moment lang schien mir, als tauche in meiner kubistischen Maske ein bleiches, verstörtes Jungensgesicht auf, jenes halb erschrokkene, halb neugierige Gesicht eines zehnjährigen Knaben, der in den Totenmessen und Hochämtern seiner Heimatspfarrei zitternd und gierig am Munde der Priester hängt. Da erlosch, wie ich es bestellt hatte, das elektrische Licht, und ich wurde vom Podium herab schweißbedeckt als ein magischer Bischof in die Versenkung getragen.

24. VI.

Vor den Versen hatte ich einige programmatische Worte verlesen. Man verzichte mit dieser Art Klanggedichte in Bausch und Bogen auf die durch den Journalismus verdorbene und unmöglich gewordene Sprache. Man ziehe sich in die innerste Alchimie des Wortes zurück, man gebe auch das Wort noch preis, und bewahre so der Dichtung ihren letzten heiligsten Bezirk. Man verzichte darauf, aus zweiter Hand zu dichten: nämlich Worte zu übernehmen (von Sätzen ganz zu schweigen), die man nicht funkelnagelneu für den eigenen Gebrauch erfunden habe. Man wolle den poetischen Effekt nicht länger durch Maßnahmen erzielen, die schließlich nichts weiter seien als reflektierte Eingebungen oder Arrangements verstohlen angebotener Geist-, nein Bildreichigkeiten.

5. III. 1917

Zwischen Sozialismus und Kunst kann ich keinen Ausgleich finden. Wo ist der Weg, der den Traum mit der Wirklichkeit verbindet, und zwar den entlegensten Traum mit der banalsten Wirklichkeit? Wo ist der Weg einer sozialen Produktivität gerade dieser Kunst; einer Anwendung ihrer Prinzipien, die mehr als Kunstgewerbe wäre? Meine artistischen und meine politischen Studien, sie scheinen einander zu widersprechen, und doch bin ich nur bemüht, die Brücke zu finden. Ich leide an einer Wesensspaltung, von der ich zwar immer noch glaube, daß sie ein einziger Blitz verschmelzen kann; aber die Sozietät, wie ich sie sehe und wie ich sie glauben soll, kann ich nicht annehmen und eine andere ist nicht vorhanden. So spiele ich den Sozialismus gegen die Kunst und die Kunst gegen die Moralismen aus, und bleibe vielleicht doch nur ein Romantiker.

18. III.

Mit Tzara zusammen habe ich die Räume der Galerie Coray übernommen (Bahnhofstraße 19) und gestern die »Galerie Dada« eröffnet mit einer »Sturm«-Ausstellung. Es ist eine Fortführung der Kabarett-Idee vom vorigen Jahr. Zwischen Anerbieten und Eröffnung lagen drei Tage. Es waren etwa vierzig Personen da. Tzara kam zu spät; so sprach ich von unserer Absicht, eine kleine Gesellschaft von Menschen zu bilden, die sich gegenseitig stützen und kultivieren.

22. III.

[...]
Die Kunst kann vor dem bestehenden Weltbild keinen Respekt haben, ohne auf sich selbst zu verzichten. Sie erweitert die Welt, indem sie die bis dahin bekannten und wirksamen Aspekte negiert und neue an ihre Stelle setzt. Das ist die Macht der modernen Ästhetik; man kann nicht Künstler sein und an die Geschichte glauben.

Die Barbarismen des Kabaretts sind überwunden. Zwischen »Voltaire« und »Galerie Dada« liegt eine Spanne Zeit, in der sich jeder nach Kräften umgetan und neue Eindrücke und Erfahrungen gesammelt hat.

29. III.

Feier zur Eröffnung der Galerie.

Programm:

Abstrakte Tänze (von Sophie Taeuber; Verse von Ball, Masken von Arp). – Frédéric Clauser: Verse. – Hans Heusser: Kompositionen. – Emmy Hennings: Verse. – Olly Jacques: Prosa von Mynona. – H. L. Neitzel: Verse von Hans Arp. – Mme. Perottet: Neue Musik. – Tristan Tzara: Negerverse. – Claire Walther: Expressionistische Tänze.

Im Publikum: Jacoba van Heemskerk, Mary Wigman, v. Laban, Frau Dr. Tobler, Mitglieder des Psychoanalytischen Klubs, Frau Rubiner-Ischak, Frau Leonhard Frank, Stadtkommandant Thomann, Hofrat Rosenberg, etwa neunzig Personen. Später kamen Schickele und Grumbach; der letztere improvisierte im Türrahmen zwischen zwei Sälen mit »Zar« und »Zarin« von Emmy ein politisches Puppentheater.

Abstrakte Tänze: ein Gongschlag genügt, um den Körper der Tänzerin zu den phantastischsten Gebilden anzuregen. Der Tanz ist Selbstzweck geworden. Das Nervensystem erschöpft alle Schwingungen des Klanges, vielleicht auch alle verborgene Emotion des Gongschlägers und läßt sie Bild werden. Hier im besonderen Falle genügte eine poetische Lautfolge, um jeder der einzelnen Wortpartikel zum sonderbarsten, sichtbaren Leben am hundertfach gegliederten Körper der Tänzerin zu verhelfen. Aus einem »Gesang der Flugfische und Seepferdchen« wurde ein Tanz voller Spitzen und Gräten, voll flirrender Sonne und von schneidender Schärfe.

30. III.

Die neuere Kunst ist sympathisch, weil sie in einer Zeit der totalen Zerrissenheit den Willen zum Bilde bewahrt hat; weil sie das Bild zu erzwingen geneigt ist, wie sehr sich die Mittel und Teile einander bekämpfen mögen. Die Konvention triumphiert in der moralischen Bewertung der Teile und Einzelheiten; die Kunst kann sich daran nicht kehren. Sie dringt auf den innewohnenden, allesverbindenden Lebensnerv; der äußere Widerspruch stört sie nicht. Man könnte auch sagen: die Moral wird der Konvention entzogen und auf die alleinige Schärfung des Sinnes für Maß und Gewicht gewandt.
[. . .]

11. IV.

[...]
Fürs deutsche Wörterbuch. Dadaist: kindlicher, donquichottischer Mensch, der in Wortspiele und grammatikalische Figuren verstrickt ist.

Magadino, 7. VI.

Seltsame Begebnisse: Während wir in Zürich, Spiegelgasse 1, das Kabarett hatten, wohnte uns gegenüber in derselben Spiegelgasse, Nr. 6, wenn ich nicht irre, Herr Ulianow-Lenin. Er mußte jeden Abend unsere Musiken und Tiraden hören, ich weiß nicht, ob mit Lust und Gewinn. Und während wir in der Bahnhofstraße die Galerie eröffneten, reisten die Russen nach Petersburg, um die Revolution auf die Beine zu stellen. Ist der Dadaismus wohl als Zeichen und Geste das Gegenspiel zum Bolschewismus? Stellt er der Destruktion und vollendeten Berechnung die völlig donquichottische, zweckwidrige und unfaßbare Seite der Welt gegenüber? Es wird interessant sein zu beobachten, was dort und was hier geschieht.

# Manifeste

RICHARD HUELSENBECK

# Erklärung

Vorgetragen im »Cabaret Voltaire«, im Frühjahr 1916

Edle und respektierte Bürger Zürichs, Studenten, Handwerker, Arbeiter, Vagabunden, Ziellose aller Länder, vereinigt euch. Im Namen des Cabaret Voltaire und meines Freundes Hugo Ball, dem Gründer und Leiter dieses hochgelehrten Institutes, habe ich heute abend eine Erklärung abzugeben, die Sie erschüttern wird. Ich hoffe, daß Ihnen kein körperliches Unheil widerfahren wird, aber was wir Ihnen jetzt zu sagen haben, wird Sie wie eine Kugel treffen. Wir haben beschlossen, unsere mannigfaltigen Aktivitäten unter dem Namen Dada zusammenzufassen. Wir fanden Dada, wir sind Dada, und wir haben Dada. Dada wurde in einem Lexikon gefunden, es bedeutet nichts. Dies ist das bedeutende Nichts, an dem nichts etwas bedeutet. Wir wollen die Welt mit Nichts ändern, wir wollen die Dichtung und die Malerei mit Nichts ändern und wir wollen den Krieg mit Nichts zu Ende bringen. Wir stehen hier ohne Absicht, wir haben nicht mal die Absicht, Sie zu unterhalten oder zu amüsieren. Obwohl dies alles so ist, wie es ist, indem es nämlich nichts ist, brauchen wir dennoch nicht als Feinde zu enden. Im Augenblick, wo Sie unter Überwindung Ihrer bürgerlichen Widerstände mit uns Dada auf ihre Fahne schreiben, sind wir wieder einig und die besten Freunde. Nehmen Sie bitte Dada von uns als Geschenk an, denn wer es nicht annimmt, ist verloren. Dada ist die beste Medizin und verhilft zu einer glücklichen Ehe. Ihre Kindeskinder werden es Ihnen danken. Ich verabschiede mich nun mit einem Dadagruß und einer Dadaverbeugung. Es lebe Dada. Dada, Dada, Dada.

HUGO BALL

Eroeffnungs- Manifest, 1. Dada-Abend
Zuerich, 14. Juli 1916

Dada ist eine neue Kunstrichtung. Das kann man daran erkennen, dass bisher niemand etwas davon wusste und morgen ganz Zuerich davon reden wird. Dada stammt aus dem Lexikon. Es ist furchtbar einfach. Im Franzoesischen bedeutets Steckenpferd. Im Deutschen: Addio, steigt mir bitte den Ruecken runter, auf Wiedersehen ein ander Mal! Im Rumaenischen: 'Ja wahrhaftig, Sie haben Recht, so ist es. Jawohl, wirklich. Machen wir'. Und so weiter.

Ein internationales Wort. Nur ein Wort und das Wort als Bewegung. Es ist einfach furchtbar. Wenn man eine Kunstrichtung daraus macht, muss das bedeuten, man will Komplikationen wegnehmen. Dada Psychologie, Dada Literatur, Dada Bourgeoisie und ihr, verehrteste Dichter, die ihr immer mit Worten, nie aber das Wort selber gedichtet habt. Dada Weltkrieg und kein Ende, Dada Revolution und kein Anfang. Dada ihr Freunde und Auchdichter, allerwerteste Evangelisten. Dada Tzara, Dada Huelsenbeck, Dada m'dada, Dada mhm' dada, Dada Hue, Dada Tza.

Wie erlangt man die ewige Seligkeit? Indem man Dada sagt. Wie wird man beruehmt? Indem man Dada sagt. Mit edlem Gestus und mit feinem Anstand. Bis zum Irrsinn, bis zur Bewusstlosigkeit. Wie kann man alles Aalige und Journalige, alles Nette und Adrette, alles Vermoralisierte, Vertierte, Gezierte abtun? Indem man Dada sagt. Dada ist die Weltseele, Dada ist der Clou, Dada ist die beste Lilienmilchseife der Welt. Dada Herr Rubiner, Dada Herr Korrodi, Dada Herr Anastasius Lilienstein.

Das heisst auf Deutsch: die Gastfreundschaft der Schweiz ist ueber alles zu schaetzen, und im Aesthetischen kommt's auf die Norm an.

Ich lese Verse, die nichts weniger vorhaben als: auf die Sprache zu verzichten. Dada Johann Fuchsgang Goethe. Dada Stendhal. Dada Buddha, Dalai Lama, Dada m'dada, Dada m'dada, Dada mhm' dada. Auf die Verbindung kommt es an, und dass sie vorher ein bisschen unterbrochen wird. Ich will keine Worte, die andere erfunden haben. Alle Worte haben andere erfunden. Ich will meinen eigenen Unfug, und Vokale und Konsonanten dazu, die ihm entsprechen. Wenn eine Schwingung sieben Ellen lang ist, will ich fueglich Worte dazu, die sieben Ellen lang sind. Die Worte des Herrn Schulze haben nur zwei ein halb Zentimeter.

Da kann man nun so recht sehen, wie die artikulierte Sprache entsteht. Ich lasse die Laute ganz einfach fallen. Worte tauchen auf, Schultern von Worten; Beine, Arme, Haende von Worten. Ay,oi, u. Man soll nicht zuviel Worte aufkommen lassen. Ein Vers ist die Gelegenheit, moeglichst ohne Worte und ohne die Sprache auszukommen. Diese vermaledeite Sprache, an der Schmutz klebt wie von Maklerhaenden, die die Muenzen abgegriffen haben. Das Wort will ich haben, wo es aufhoert und wo es anfaengt.

Jede Sache hat ihr Wort; da ist das Wort selber zur Sache geworden. Warum kann der Baum nicht Pluplusch heissen, und Pluplubasch, wenn es geregnet hat? Und warum muss er ueberhaupt etwas heissen? Muessen wir denn ueberall unseren Mund dran haengen? Das Wort, das Wort, das Weh gerade an diesem Ort, das Wort, meine Herren, ist eine oeffentliche Angelegenheit ersten Ranges.

TRISTAN TZARA

## Manifest des Herrn Antipyrine

DADA ist unsere Intensität: es richtet die Bajonette ohne Konsequenz der Sumatrakopf des deutschen Babys; Dada ist das Leben ohne Pantoffeln und Parallelen; das für und gegen die Einheit ist und entschieden gegen die Zukunft; wir wissen aus Weisheit, daß unsere Gehirne bequeme Kopfkissen werden, daß unser Antidogmatismus genauso ausschließend wie der Beamte ist und daß wir nicht frei sind und Freiheit schreien; strenge Notwendigkeit ohne Disziplin und Moral und spucken auf die Menschheit.
DADA bleibt im europäischen Rahmen der Schwächen, es ist aber trotzdem Scheiße, aber von nun an wollen wir verschiedenfarbig scheißen, um den zoologischen Garten der Kunst mit allen Konsulatsfahnen zu zieren.
Wir sind Zirkusdirektoren und pfeifen mitten in den Winden der Jahrmärkte, mitten in den Klöstern, Prostitutionen, Theatern, Realitäten, Gefühlen, Restaurants, ohi, hoho, bang, bang.

Wir erklären, daß das Auto ein Gefühl ist, das uns mit den Langsamkeiten seiner Abstraktionen genauso wie die Ozeandampfer, die Geräusche und die Ideen genügend verwöhnt hat. Dennoch veräußerlichen wir die Leichtigkeit, suchen wir nach dem zentralen Wesen und freuen wir uns, wenn wir es verstecken können. Wir wollen nicht die Fenster der wunderbaren Elite aufzählen, denn DADA ist für niemanden vorhanden und wir wollen, daß jeder es versteht. Dort ist Dadas Balkon, das versichere ich Ihnen. Von dem man die Militärmärsche hören und herabsteigen kann, indem man die Luft wie ein Seraph durchschneidet, zu einem Bad im Volk, um zu pissen und die Parabel zu verstehen.

DADA ist weder Verrücktheit, Weisheit noch Ironie, sieh mich an, netter Bourgeois.
Die Kunst war ein Haselnuß-Spiel, die Kinder setzten die Wörter zusammen mit den Klingeln am Ende, dann weinten und schrien sie die Strophe und zogen ihr die Stiefelchen der Puppen an und die Strophe wurde eine Königin, um ein wenig zu sterben und die Strophe wurde ein Wal, die Kinder liefen sich atemlos.
Dann kamen die großen Botschafter des Gefühls, die historisch im Chor ausriefen:
Psychologie Psychologie hihi
Wissenschaft Wissenschaft Wissenschaft
Es lebe Frankreich
Wir sind nicht naiv
Wir folgen aufeinander
Wir sind exklusiv
Wir sind nicht einfach
und wir können die Intelligenz gut diskutieren.
Aber wir, DADA, wir sind nicht ihrer Meinung, denn die Kunst ist nicht ernst, versichere ich Ihnen, und wenn wir das Verbrechen aufzeigen, um gelehrt Ventilator zu sagen, so ist es, um Ihnen etwas zu gefallen, liebe Zuhörer, ich liebe Sie so sehr, versichere ich Ihnen, und ich bete Sie an.

HANS RICHTER

# Gegen Ohne Für Dada

?!Dada!! – Niemand gehört dazu!? –
Daß wir doch dazu gehören, ...

Der mangelnde Glaube an jede Zusammengehörigkeit, den wir Ihrer: »Gesellschaftsform« (oh Staat) verdanken – ihrer »Gemeinschaft«; die uns verpflichtet, sich in jeder Form davon zu *unterscheiden*, war das Zwangsmittel zur Bildung dieses mondsteinfarbenen Dada –
Die Verpflichtung, die wir ihnen gegenüber damit übernahmen, das Bekenntnis »*Zu etwas zu gehören*«, ist ein *Irrtum*, den Sie sich selbst zu verdanken haben.
Unsere Gemeinsamkeit (die Gemeinsamkeit nebenbei derer, die sich sauber achten) in einer Säure von leicht pathetischer oder grauer Verzweiflung ... echter Haltung, liegt ganz außerhalb der Gruppe, des Mouvement der Zeitschrift Dada. Auf der Nachstufe einer Weltanschauung ist das Jonglieren mit seinen eigenen Gebeinen unter Einschluß der Gedärme das geeignete Verständigungsmittel.

Die Herren *da*, sind im Schwung da ... Dada ... Die seelische Verteidigungsformel auf **Unvorhergesehenes**.
Wir reiten auf den Kurven einer Melodie und schwingen wohl beim Übertakt in Überschwang breit, lang, gereimt, bang, oder auch in Politik (oh schöne Ernsthaftigkeit – unvergleichliche Bewunderung Deinem Mienenspiel).
Umst, Umst (?) ist nicht nur nicht dagewesen, es ist auch unmöglich, daß es da ist, *Dada* ist es. Das ist Sterndeuterei und fällt mir beim Einschlafen ein. – Oh kompromittiertes Dada. Während die Assoziationen durch die Gitterstäbe witschen, gelingt uns kein Geschäft. (Apotheose auf Dada)

Nehmen wir das Wunder! Dada? – – Dada! ... Versuchen

wir über **jede** Umkehrung hinweg einen Sprung in die Form, komponieren wir aus gut verdaulichem Salat Eisenbahnfahrkarten und dem allermomentansten Reflex eine Melodie mit dem gelegentlichen Takt aller Zufälle der Seelenkreuzungen.
Bitte *wollen* Sie Glück?
Voilà, diesmal aber wirklich, ohne es jemandem zu stehlen? Nehmen Sie diese Mischung (Salat, Eisenbahn, Reflex – Sie wissen ja!!)

Wenn Sie statt dessen das Wunder wollen –– sehen wollen? Wir vermieten das Wunder. Nur (Pardon) brauchen wir andere Voraussetzungen dazu als Ihre »Ernsthaftigkeit«! (Applaus) Kein Versehen! Man macht mit »Ernst« gute Geschäfte, Krieg, Kinder und Grausamkeit, was noch? Tzara –– Dada, dressiert das Wunder (keine Superiorität, wir auch); nicht, daß er es an der Leine hätte. – Da würden sich die Wunder wundern – aber er beschmeißt alles Un-Wunder mit soviel »Dreckausehrlichgekneteterüberzeugung«, daß dem Wunder ein gewisses persönliches Verhältnis zu ihm nicht erspart bleibt (oh, cher Wolkenpumper).
Fluch auf Dada. (Wir übermitteln Ihnen diese Formel), daß es unserer direkten Berührung mit dem Wunder im Wege steht. Einen Pfiff lang Unglauben – des Kommenden schon geborenen. Serners Kopf als Blütenknolle in reifstem Gehirnschoß eines Luftballons aus Eiter, den er sich selbst aus seiner postlagernd zu erhebenden Verzweiflung abgemolken hat. – Versichern Sie sich bei Ihrer Weltanschauungsversicherungsgesellschaft auf Ehrenwort gegen die Blague, gegen den Eiter. Sonst wird alles aus Ihnen herausbrechen, *unmerkbar*.
Lassen Sie mich *in* der Geste **mit** der Geste *die* Geste verunglücken, mit der ich mich von Ihnen loskribble.

Kein Verdacht! es sollte etwas gelingen, was *Ihnen entspräche* und Ihnen *Stellung* zu dem erleichterte, was *Sie* keineswegs billigen *sollen*.

Billig! so billig hat uns das Schicksal gekauft, daß wir mit dem herrlichen Recht der Verzinsung rechnen dürfen. (Hollah!) Wir werden Ihnen teuer zu stehen kommen.

(Diese Mitteilungen wurden dem Publikum der 8. Dada-Soirée bereits mündlich gemacht.)

TRISTAN TZARA

## Manifest Dada 1918*

(Gelesen vom Autor am 23. Juli 1918 in der »Meise« in Zürich.)

(Übertragung aus dem Französischen von Hans Jacob.)

Um ein Manifest zu lanzieren, muß man das ABC wollen, gegen 1, 2, 3 wettern.
Sich abmühn und die Flügel spitzen, um kleine und große ABCs zu erobern und zu verbreiten.
Unterzeichnen, schreien, fluchen, die Prosa in der Gestalt absoluter, unwiderlegbarer Klarheit arrangieren, ihr Nonplus-ultra beweisen und behaupten, daß das Neue dem Leben gleiche wie die letzte Erscheinung einer Cocotte dem Wesen Gottes. Dessen Existenz wurde bereits durch die Ziehharmonika, die Landschaft und das sanfte Wort bewiesen. Sein eigenes ABC aufzwingen, ist eine ganz natürliche – also bedauerliche Angelegenheit. Das tut jedermann in Gestalt von Kristallbluffmadonnen, Münzsystem, pharmazeutischen Produkten und nackten, den **heißen** unfruchtbaren Frühling verheißenden Beinen. Die Liebe zum Neuen ist sympathisches Kreuz, Beweis einer naiven Wurschtigkeit, grundloses, vorübergehendes, positives Zeichen. Aber dieses Bedürfnis ist bereits veraltet. Dokumentiert man die Kunst durch die höchste Einfachheit: Neuheit, so ist man menschlich und echt für das **Vergnügen**, impulsiv vibrierend, um die Langeweile zu kreuzigen. Am Scheidewege der Lichter, **wachsam**, aufmerksam im Walde den Jahren auflauernd.
Ich schreibe ein Manifest und will nichts, trotzdem sage ich gewisse Dinge und bin aus Prinzip gegen Manifeste, wie ich

* Der Herausgeber betont hierbei, daß er sich als Dadaist mit keiner der hier vorgetragenen Meinungen identifiziert. [Anm. Richard Huelsenbecks.]

auch gegen die Prinzipien bin – (Decilitermasse für den moralischen Wert jeder Phrase – zu viel Bequemlichkeit; die Approximation wurde von den Impressionisten erfunden.) Ich schreibe dieses Manifest, um zu zeigen, daß man mit einem einzigen frischen Sprung entgegengesetzte Handlungen gleichzeitig begehen kann; ich bin gegen die Handlung; für den fortgesetzten Widerspruch, für die Bejahung und bin weder für noch gegen und erkläre nicht, denn ich hasse den gesunden Menschenverstand.

Dada – dies ist ein Wort, das die Ideen hetzt; jeder Bürger ist ein kleiner Dramaturg, erfindet verschiedene Auffassungen, anstatt die der Qualität seiner Intelligenz entsprechenden Personen zu plazieren, Schmetterlingspuppen auf Stühlen, sucht er – (nach der psychoanalytischen Methode, die er anwendet) – Ursachen und Ziele, um seine Intrigue zu zementieren: Geschichte, die von selbst spricht und sich definiert. Jeder Zuschauer ist ein Intrigant, wenn er ein Wort zu erklären sucht (zu kennen!) Aus dem wattierten Schlupfwinkel gewundener Komplikationen läßt er seine Instinkte manipulieren. Daher das Elend des Ehelebens.

Erklären: Zeitvertreib der Rothäute mit den Mühlen für hohle Schädel.

## Dada bedeutet nichts

Wenn man es für nichtig hält und seine Zeit mit einem Wort verlieren will, das nichts bedeutet ... Der erste Gedanke, der sich in diesen Köpfen wälzt, ist bakteriologischer Art: seinen etymologischen, historischen, wenigstens aber seinen psychologischen Ursprung finden. Aus den Zeitungen erfährt man, daß die Kruneger den Schwanz einer heiligen Kuh: Dada nennen. Der Würfel und die Mutter in einer gewissen Gegend Italiens: Dada. Ein Holzpferd, die Amme, doppelte Bejahung im Russischen und Rumänischen: Dada. Weise Journalisten sehen in ihm eine Kunst für die Säuglinge, andere Heilige-tägliche-Jesus-läßt-die-Kindlein-zu-sich-kommen, die Rückkehr zu einem trockenen und lär-

menden, lärmenden und eintönigen Primitivismus. Man konstruiert nicht auf ein Wort die Empfindsamkeit; jede Konstruktion läuft auf langweilige Vollendung hinaus, stagnierende Idee eines vergoldeten Sumpfes, relatives menschliches Produkt. Das Kunstwerk soll nicht das Schöne an sich sein, denn es ist tot; weder heiter noch traurig, weder hell noch dunkel, soll es die Individualitäten erfreuen oder mißhandeln, indem es ihnen die Kuchen heiliger Aureolen oder die Schweiße eines quer durch die Atmosphären gesteilten Laufes aufwartet. Ein Kunstwerk ist niemals schön, auf Beschluß schön, objektiv für alle. Folglich ist Kritik unnütz, sie existiert lediglich subjektiv für den einzelnen ohne den geringsten Charakter von Allgemeingültigkeit. Glaubt man die der ganzen Menschheit gemeinsame psychische Basis gefunden zu haben? Der Versuch Jesus und die Bibel decken mit ihren breiten wohlwollenden Flügeln: die Scheiße, die Tiere, die Tage. Wie will man das Chaos ordnen, das die unendlich-unförmige Variation bildet: den Menschen? Der Grundsatz: »Liebe Deinen Nächsten« ist Heuchelei. »Erkenne Dich selbst« ist eine Utopie, aber annehmbarer, denn sie enthält das Böse. Kein Mitleid. Nach dem Blutbad bleibt uns die Hoffnung auf eine geläuterte Menschheit.
Ich spreche immer von mir, da ich nicht überzeugen will, ich habe kein Recht, andere in meinen Strom mitzureißen, ich verpflichte niemanden, mir zu folgen, jeder macht seine Kunst auf seine Art, wenn er die Freude kennt, die zu Pfeilen zu den Astralschichten steigt oder die, die in den Schächten von Kadaverblumen und fruchtbaren Spasmen taucht. Stalaktiten: die überall suchen, in den schmerzgeweiteten Krippen mit weißen Augen wie die Hasen der Engel.
So entstand **Dada*** aus einem Bedürfnis von Unabhängigkeit, des Mißtrauens gegen die Gemeinsamkeit. Die zu uns gehören, behalten ihre Freiheit. Wir anerkennen keine Theorie. Wir haben genug von den kubistischen und futuristischen

* 1916 im Cabaret Voltaire in Zürich. [Anm. Richard Huelsenbecks.]

Akademien: Laboratorien für formale Gedanken. Macht man Kunst, um Geld zu verdienen und die netten Bürger zu streicheln? Die Reime klingen von der Assonanz der Münzen, und die Inflexion gleitet die Linie des Bauchprofils entlang. Alle Künstlergruppen haben, auf verschiedenen Kometen reitend, auf dieser Bank geendet.

Hier, in der fetten Erde, werfen wir Anker. Hier haben wir das Recht zu proklamieren, denn wir haben die Schauer und das Erwachen kennen gelernt. Von Energie trunkene Gespenster bohren wir den Dreizack ins ahnungslose Fleisch. Wir sind Geriesel von Verwünschungen in der tropischen Überfülle berauschender Vegetationen, unser Schweiß ist Gummi und Regen, wir bluten und brennen Durst, unser Blut ist Kraft.

Der Kubismus entstand aus der einfachen Art, den Gegenstand zu betrachten: Cézanne malte eine Tasse 20 Centimeter tiefer als seine Augen, die Kubisten sahen sie ganz von oben; andere komplizieren die Erscheinung, indem sie einen senkrechten Schnitt machen und sie brav an die Seite setzen. Der Futurist sieht dieselbe Tasse in Bewegung, Reihenfolge nebeneinandergesetzter Gegenstände, denen er mutwilligerweise einige Linienkräfte beifügt. Das ändert nichts daran, daß die Leinwand ein gutes oder schlechtes, für die intellektuellen Kapitalanlagen bestimmtes Gemälde ist.

Der neue Maler schafft eine Welt, deren Elemente auch ihre Mittel sind, ein nüchternes, bestimmtes, argumentloses Werk. Der neue Künstler protestiert: er malt nicht mehr /symbolistische und illusionistische Reproduktion/, sondern er schafft unmittelbar in Stein, Holz, Eisen, Zinn Blöcke von Lokomotivorganismen, die durch den klaren Wind des Augenblicks nach allen Seiten gedreht werden können. Jedes malerische oder plastische Werk ist unnütz; sei es ein Monstrum, das Sklavenseelen Furcht einflößt, und nicht zärtlich, um Speisesäle der in Menschenkostüme gesteckten Tiere zu schmücken, Illustrationen dieser Fabel der Menschheit.

Ein Gemälde ist die Kunst, vor unseren Augen auf einer Leinwand zwei geometrische als parallel festgestellte Linien in einer Wirklichkeit einander begegnen zu lassen, die in eine Welt mit anderen Bedingungen und Möglichkeiten versetzt. Diese Welt ist im Werk weder spezifisch noch fest umrissen, gehört in ihren unzähligen Variationen dem Betrachter. Für ihren Schöpfer ist sie ohne Ursache und ohne Theorie.

Ordnung–Unordnung, Ich–Nicht-Ich, Bejahung–Verneinung: höchste Ausstrahlungen absoluter Kunst. Absolut in Reinheit geordnetes Chaos ewig in Sekundenkugel ohne Dauer, ohne Atem, ohne Licht, ohne Kontrolle. – // Ich liebe ein altes Werk um seiner Neuheit willen. Es ist nur der Kontrast, der uns an die Vergangenheit bindet.

Die Schriftsteller, die Moral lehren und die psychologische Basis diskutieren und verbessern, haben, ganz abgesehen von einer verhüllten Gier nach Gewinn, eine lächerliche Kenntnis des Lebens, das sie klassifizieren, einteilen, kanalisieren; hartnäckig wollen sie die Kategorien nach ihrer Pfeife tanzen sehen. Ihre Leser grinsen und fahren fort: wozu?

Es gibt eine Literatur, die nicht bis zur gefräßigen Masse vordringt. Schöpferwerk, geboren aus einer wirklichen Notwendigkeit des Verfassers und für ihn selbst. Erkenntnis des höchsten Egoismus, wo die Gesetze verbleichen. ■ Jede Seite muß explodieren durch den tiefen und schweren Ernst, den Wirbel, den Rausch, das Neue, das Ewige, durch den zerschmetternden Bluff, durch die Begeisterung der Grundsätze oder durch die Art, wie sie gedruckt ist. Das ist eine schwankende Welt, auf der Flucht, den Schellen der höllischen Tonleiter vermählt, und auf der andern Seite: neue Menschen. Heftig, sich bäumend, Reiter des Glucksens. Eine verstümmelte Welt und die literarischen Medikaster haben Verbesserungsideen.

Ich sage euch: es gibt keinen Anfang, und wir zittern nicht, wir sind nicht sentimental. Wir zerreißen, wütender Wind, die Wäsche der Wolken und der Gebete und bereiten das große Schauspiel des Unterganges vor, den Brand, die Zersetzung. Bereiten wir die Unterdrückung der Trauer vor und ersetzen wir die Tränen durch Sirenen, gespannt von einem Kontinent zum andern. Standarten der intensiven Freude und Witwer der Gifttraurigkeit. ■ Dada ist das Wahrzeichen der Abstraktion; die Reklame und die Geschäfte sind auch poetische Elemente. ■

Ich zerstöre die Gehirnschubkästen und die der sozialen Organisation: überall demoralisieren, die Hand vom Himmel in die Hölle werfen, die Augen von der Hölle in den Himmel, das fruchtbare Rad eines Weltzirkus wieder aufrichten in den realen Mächten und der Phantasie jedes Individuums.

Die Philosophie ist die Frage: von welcher Seite soll man beginnen, das Leben, Gott, die Idee oder die andern Erscheinungen zu betrachten. Alles, was man erblickt, ist falsch. Ich halte das relative Ergebnis für nicht wesentlicher als die Wahl zwischen Kuchen und Kirschen nach dem Essen. Die Art, schnell die andere Seite einer Sache zu betrachten, um indirekt seine Meinung durchzusetzen, nennt man Dialektik, das heißt den Geist der Bratkartoffelkrämer, indem man ihn methodisch umtanzt.

Wenn ich schreie:

Ideal, Ideal, Ideal
Erkenntnis, Erkenntnis, Erkenntnis
Bumm-Bumm, Bumm-Bumm, Bumm-Bumm

habe ich ziemlich genau den Fortschritt, das Gesetz, die Moral und alle andern schönen Dinge aufgezählt, die verschiedene sehr intelligente Leute in dicken Büchern erörtert haben, um schließlich zu erklären, daß trotz allem jeder nach seinem persönlichen Bummbumm getanzt hat, und daß er für sein Bummbumm recht hat, Befriedigung krankhafter Neugier; Privatklingelei für unerklärliche Bedürfnisse; Bad pekuniärer Schwierigkeiten; Magen mit Rückwirkung auf das Leben; Autorität des mystischen Taktstocks, geformt als Bouquet, Orchesterphantom mit stummen Bögen – – – – –. Mit der blauen Brille eines Engels haben sie das Innere durchwühlt für eine Mark* einstimmiger Anerkennung. ■ Wenn alle recht haben, und wenn alle Pillen Pillen sind, so versuchen wir doch einmal, nicht recht zu haben. ■ Man glaubt durch den Gedanken rational das erklären zu können, was man schreibt. Aber das ist sehr relativ. Der Gedanke ist ein schönes Ding für die Philosophie, aber er ist relativ. Die Psychoanalyse ist eine gefährliche Krankheit, schläfert die anti-reellen Neigungen des Menschen ein und systematisiert die Bourgoisie. Es gibt keine letzte Wahrheit. Die Dialektik ist eine vergnügliche Maschine, die uns (auf recht banale Weise) zu den Meinungen führt, die wir auf alle Fälle gehegt hätten. Glaubt man wirklich durch das peinliche Raffinement der Logik die Wahrheit bewiesen und die Genauigkeit dieser Meinungen festgelegt zu haben? Die durch die Sinne eingeengte Logik ist eine organische Krankheit. Die Philosophen pflegen diesem Element gern: die Fähigkeit zur Beobachtung hinzuzufügen. Aber gerade diese herrliche Eigenschaft des Geistes ist der Beweis für seine Ohnmacht. Man beobachtet, man betrachtet von einem Gesichtspunkt oder mehreren Gesichtspunkten, man wählt sie aus den Millionen heraus. Die Erfahrung ist auch ein Ergebnis des Zufalles und der individuellen Eigenschaften. ■ Die Wissenschaft stößt mich ab, sobald sie zum spekulativen System wird, sie verliert ihren Nützlichkeitscharakter – der so unnütz, aber wenigstens individuell ist. Ich hasse die fette Objektivität und die Harmonie, jene Wissenschaft, die alles in Ordnung findet. Fahrt so fort, liebe Kinder, Menschlichkeit. . . . Die Wissenschaft, die da sagt, wir seien die Diener der Natur: alles ist in Ordnung, liebt euch und zerschlagt euch die Schädel. Fahrt fort, liebe Kinder, Menschlichkeit, liebe Bürger und jungfräuliche Journalisten. . . . ■ Ich bin gegen die Systeme, das annehmbarste System ist das, grundsätzlich keines zu haben. ■ Sich vervollständigen, sich in seiner eigenen Kleinheit vervollkommnen, bis man das

* Nach der Valuta von heute 4.50 Mark. [Anm. Richard Huelsenbecks.]

Gefäß seines Ich ausfüllt, Kampfesmut für und gegen den Gedanken, Mysterium des Brotes, plötzliches Stoppen der höllischen Luftschraube in sparsame Lilien:

## Der spontane Dadaismus.

Ich nenne Wurschtigkeit den Zustand eines Lebens, in dem jeder seine eigenen Voraussetzungen behält, immerhin aber die andern Individualitäten zu achten versteht und sich zu verteidigen, Twostep wird Nationalhymne, Antiquitätengeschäft, D. T. drahtlose Telephonie verwandelt die Fugen von Bach, Lichtreklamen und Plakate für Bordells, die Orgel verteilt Nelken für den lieben Gott, all das zusammen in Wirklichkeit ersetzt die Photographie und den einseitigen Katechismus.

Die aktive Einfachheit.

Die Ohnmacht zwischen den Graden der Helligkeit unterscheiden zu können: das Helldunkel lecken und im großen Munde voll Honig und voller Exkremente schwimmen. An der Leiter Ewigkeit gemessen, ist jede Handlung vergeblich – (wenn wir den Gedanken ein Abenteuer bestehen lassen, dessen Ergebnis unermeßlich grotesk wäre – wichtiger Anhaltspunkt für die Erkenntnis der menschlichen Ohnmacht.) Aber so das Leben ein schlechter Spaß, ohne Ziel und Anfangsgeburt ist, und weil wir glauben uns sauber, als gewaschene Chrysanthemen aus der Affäre ziehen zu müssen, haben wir als einzige Verständigungsbasis: die Kunst proklamiert. Sie hat nicht die Bedeutung, die wir, Raufbolde des Geistes, ihr seit Jahrhunderten ansingen. Die Kunst betrübt niemanden und die sich um sie zu bemühen wissen, erhalten Liebkosungen und die schöne Gelegenheit, das Land ihrer Konversation zu bevölkern. Kunst ist Privatsache, der Künstler macht sie für sich; ein verständliches Werk ist Journalistenprodukt und weil es mir in diesem Augenblick gefällt, das Monstrum mit Ölfarben zu mischen: Papiertube, Metallersatz, die man drückt und automatisch Haß, Feigheit, Gemeinheit ausspritzt. Der Künstler, der

Dichter freut sich am Gift der in einem Rayonchef jener Industrie kondensierten Masse, er ist glücklich, beschimpft zu werden: Beweis seiner Unveränderlichkeit. Der Autor, der Künstler, den die Zeitungen loben, stellt die Verständlichkeit seines Werkes fest: elendes Futter eines Mantels zu öffentlichem Nutzen; Lumpen, die die Brutalität bedecken, Pisse, an der Wärme eines Tieres mitwirkend, das niedrige Instinkte ausbrütet. Welkes und abgeschmacktes Fleisch, das sich mit Hilfe typographischer Mikroben vervielfältigt. ■ Wir haben die weinerliche Neigung in uns angerempelt. Jegliche Filtration dieser Natur ist eingemachte Diarrhoe. Diese Kunst ermutigen, heißt sie verdauen. Wir brauchen starke, grade, genaue und auf ewig unverständliche Werke. Logik ist Komplikation. Logik ist immer falsch. Sie zieht die Begriffe am Faden, Worte, in ihrer formellen Äußerlichkeit, hin zu den Enden illusorischer Mittelpunkte. Ihre Ketten töten, gewaltiger Tausendfuß, erstickt die Unabhängigkeit.

Mit der Logik vermählt würde die Kunst im Incest leben, würde ihren eigenen Schwanz, immer ihren Körper verschlucken und in sich hineinschlingen, sich in sich selbst verkrampfend, und das Temperament würde ein wüster Traum, vom Calvinismus verteert, ein Monument, ein Haufen grauer schwerer Eingeweide. ■ .... Aber die Geschmeidigkeit, der Enthusiasmus und selbst die Freude an der Ungerechtigkeit, jene kleine Wahrheit, die wir unschuldig ausüben und die uns schön macht: wir sind fein und unsere Finger sind geschickt und gleiten wie Zweige jener einschmeichelnden und fast flüssigen Pflanze; sie bestimmt unsere Seele, sagen die Zyniker. ■ Das ist auch ein Gesichtspunkt; aber, glücklicherweise nicht alle Blumen sind heilig, und was in uns göttlich ist, ist das Erwachen der anti-menschlichen Handlung. Es handelt sich hier um eine Papierblume für das Knopfloch jener Herren, die auf den Ball des maskierten Lebens gehen, Grazienküche, weiße Cousinen, geschmeidig oder fett. ■ Sie handeln mit dem, was wir ausgelesen haben. ■ Widerspruch und Einigkeit der

Pole in einem Wurf kann Wahrheit sein. Wenn man für alle Fälle darauf hält, diese Banalität, Anhängsel einer lüsternen, übelriechenden Moralität, auszusprechen. Die Moral verkümmert wie jedes Geißelfabrikat der Intelligenz. Die Kontrolle der Moral und der Logik haben uns den Polizisten gegenüber Unempfindlichkeit eingeprägt – Ursache der Versklavung, stinkende Ratten, von denen die Bäuche der Bürger voll sind, und die die einzigen Corridore aus hellem und sauberem Glas verseucht haben, die den Künstlern offen blieben.

Jeder Mensch schreie: es gibt eine große Zerstörungsarbeit. Ausfegen, säubern. Die Sauberkeit des Einzelnen bestätigt sich nach dem Zustand des Wahnsinns, des aggressiven vollkommenen Wahnsinns einer Welt in den Händen von Banditen, die einander zerreißen und die Jahrhunderte zerstören. Ohne Zweck und Absicht, ohne Organisation: unzähmbarer Wahnsinn, Zersetzung. Die durch das Wort oder durch die Kraft Starken werden überleben, denn sie sind schnell in der Verteidigung, Behendigkeit der Glieder und der Empfindungen flammt auf ihren facettierten Lenden.

Die Moral hat Mitleid und Güte bestimmt, zwei Seifenblasen, die wie Elefanten Planeten gewachsen sind, und die man gut nennt. Sie haben nichts von Güte. Die Güte ist klar, hell und entschieden, unerbittlich gegenüber dem Kompromiß und der Politik. ■ Die Moralität ist eine Einimpfung von Schokolade in die Adern aller Menschen. Diese Aufgabe ist von keiner übernatürlichen Kraft gestellt, sondern vom Trust der Gedankenkrämer und Universitätswucherer. ■

Sentimentalität: sie sahen eine Gruppe Menschen sich streiten und sich langweilen – und sie erfanden den Kalender und das Medikament Weisheit. Beim Etikettenaufkleben wurde die Schlacht der Philosophen entfesselt (Mercantilismus, Waage, peinliche und kleinliche Masse), und man begriff zum zweiten Male, daß Mitleid ein Gefühl wie die Diarrhoe ist in Bezug auf den Ekel, der der Gesundheit schadet, unreiner Aasfleck, der die Sonne entstellt.

Ich verkünde die Opposition aller kosmischen Eigenschaften gegen die Gonorrhoe dieser faulenden Sonne, die aus den Fabriken des philosophischen Gedankens kommt, den erbitterten Kampf mit allen Mitteln des

**dadaistischen Ekels.**

Jedes Erzeugnis des Ekels, das Negation der Familie zu werden vermag, ist **Dada**; Protest mit den Fäusten, seines ganzen Wesens in Zerstörungshandlung: **Dada**; Kenntnis aller Mittel, die bisher das schamhafte Geschlecht des bequemen Kompromisses und der Höflichkeit verwarf: **Dada**; Vernichtung der Logik, Tanz der Ohnmächtigen der Schöpfung: **Dada**; jeder Hierarchie und sozialen Formel von unseren Dienern eingesetzt: **Dada**; jeder Gegenstand, alle Gegenstände, die Gefühle und Dunkelheiten; die Erscheinungen und der genaue Stoß paralleler Linien sind Kampfesmittel: **Dada**; Vernichtung des Gedächtnisses: **Dada**; Vernichtung der Archäologie: **Dada**; Vernichtung der Propheten: **Dada**; Vernichtung der Zukunft: **Dada**; Absoluter indiskutabler Glauben an jeden Gott, den spontane Unmittelbarkeit erzeugte: **Dada**; eleganter, vorurteilsloser Sprung von einer Harmonie in die andere Sphäre; Flugbahn eines Wortes, das wie ein Diskurs, tönender Schrei, geschleudert ist; alle Individualitäten in ihrem Augenblickswahn achten: im ernsten, furchtsamen, schüchternen, glühenden, kraftvollen, entschiedenen, begeisterten Wahn; seine Kirche von allen unnützen, schweren Requisiten abschälen, wie eine Lichtfontäne den ungefälligen oder verliebten Gedanken ausspeien, oder ihn liebkosen – mit der lebhaften Genugtuung, daß das einerlei ist – mit derselben Intensität in der Zelle seiner Seele, insektenrein für wohlgeborenes Blut und von Erzengelkörpern übergoldet. Freiheit: **Dada, Dada, Dada**, aufheulen der verkrampften Farben, Verschlingung der Gegensätze und aller Widersprüche, der Grotesken und der Inkonsequenzen: **Das Leben.**

WALTER SERNER

# Letzte Lockerung manifest

1.

Um einen Feuerball rast eine Kotkugel, auf der Damenseidenstrümpfe verkauft und Gauguins geschätzt werden. Ein fürwahr überaus betrüblicher Aspekt, der aber immerhin ein wenig unterschiedlich ist: Seidenstrümpfe können be-griffen werden, Gauguins nicht. (Bernheim als prestigieuser Biologe zu imaginieren.) Die tausend Kleingehirn-Rastas embêtantester Observanz, welche erigierten Bourgeois-Zeigefingern Feuilletonspalten servieren (o pastoses Gepinkel!), um Geldflüsse zu lockern, haben dieserhalb Verwahrlosungen angerichtet, die noch heute manche Dame zu kurz kommen lassen. (Man reflektiere drei Minuten über die Psychose schlecht behandelter Optik; klinisches Symptom, primär: Unterschätzung der Seidenstrümpfe; sekundär: Verdauungsbeschwerden.)

2.

Was dürfte das erste Gehirn, das auf den Globus geriet, getan haben? Vermutlich erstaunte es über seine Anwesenheit und wusste mit sich und dem schmutzigen Vehikel unter seinen Füssen nichts anzufangen. Inzwischen hat man sich an das Gehirn gewöhnt, indem man es so unwichtig nimmt, dass man es nicht einmal ignoriert, aus sich einen Rasta gemacht (zu unterst: schwärzlicher Pole; zu oberst: etwa Senatspräsident) und aus der mit Unrecht so beliebten Natur eine Kulisse für ein wahrhaftig sehr starkes Stück. Dieser zweifellos nicht sonderlich heroische Ausweg aus einem immer noch nicht weidlich genug gewürdigten Dilemma ist zwar vollends reizlos geworden, seit er so völlig absehbar ist (wie infantil ist eine Personenwage!), aber eben deshalb sehr geeignet, gewisse Prozeduren vorzunehmen.

3.

Auch einem Lokomotivführer fällt es jährlich wenigstens einmal ein, dass seine Beziehungen zur Lokomotive durchaus nicht zwingend sind und dass er von seinem Ehgespons nicht viel mehr weiss als nach jener warmen Nacht im Bois. (Hätte ich La Villette genannt oder die Theresienwiese, so wären beide Beziehungen gänzlich illusorisch. Fingerzeig für Habilitanten: »Über topographische Anatomie, psychischen Luftwechsel und Verwandtes«.) Im Hotel Ronceroy oder in Piccadilly kommt es hingegen bereits vor, dass es verteufelt unklar wird, warum man jetzt gerade auf seine Hand glotzt und tiriliert, sich kratzen hört und seinen Speichel liebt. Diesem scheinbar so friedlichen Exempel ist die Möglichkeit, dass das penetrante Gefühl der Langeweile zu einem Gedanken über ihre Ursache sich emporturnt, am dicksten. Solch ein lieblicher Moment arrangiert den Desperado (o was für ein Süsser!), der als Prophet, Künstler, Anarchist, Staatsmann etc., kurz als Rasta Unfug treibt.

4.

Napoleon, ein doch wirklich tüchtiger Junge, behauptete unverantwortlicher Weise, der wahre Beruf des Menschen sei, den Acker zu bestellen. Wieso? Fiel ein Pflug vom Himmel? Aber ETWAS hat der homo doch mitbekommen, supponiere ich mir eine liebesunterernährte Damenstimme. Nun, jedenfalls nicht das Ackern; und Kräuter und Früchte sind schliesslich auch schon damals dagewesen. (Bitte hier bei den deutschen Biogeneten nachzulesen, warum ich Unrecht habe. Es wird jedoch sehr langweilen. Deshalb habe ich recht.) Letzthin also: auch Napoleon, der ansonsten sehr erfreulich frische Hemmungslosigkeiten äusserte, war streckenweise Stimmungsathlet. Schade. Sehr schade.

5.

ALLES ist nämlich rastaquèresk, meine lieben Leute. Jeder ist (mehr oder weniger) ein überaus luftiges Gebilde, dieu merci. (Nur nebenbei: meine Gunst dem Tüchtigen, der mir nachweist, dass etwas letztlich NICHT willkürlich als Norm herumspritzt!) Anders würde übrigens ein epidemisches Krepieren anheben. Diagnose: rabiate Langeweile; oder: panische Resignation; oder: transzendentales Ressentiment etc. (Kann, beliebig fortgesetzt, zum Register sämtlicher unbegabter Zustände erhoben werden!) Der jeweilige landläufige Etat der bewohnten Erdoberfläche ist deshalb lediglich das folgerichtige Resultat einer unerträglich gewordenen Langeweile. Langeweile: nur als harmlosestes Wort! Jeder suche sich die ihm schmackhafteste Vokabel für seine Minderwertigkeit! (Herziges Sujet für ein scharfes Pfänderspiel!!)

6.

Es ist allgemein bekannt, dass ein Hund keine Hängematte ist; weniger, dass ohne diese zarte Hypothese Malern die Schmierfaust herunterfiele; und überhaupt nicht, dass Interjektionen am treffendsten sind: Weltanschauungen sind Vokabelmischungen ... Sapristi, hier muss die Prozedur ein wenig erweitert werden. (Kleines Bild: leichte Kraneotomie!) Nun: alle Stilisten sind nicht einmal Esel. Denn Stil ist nur eine Verlegenheitsgeste wildester Struktur. Und da Verlegenheit (nach kurzer Beschlafung) sich als perfekteste Reue über sich selber entschält, ist merkbar, dass die Stilisten aus Besorgnis, für Esel gehalten zu werden, sich um vieles schlechter als diese benehmen. (Esel haben nämlich zwei weitaus überragende Eigenschaften: sie sind störrisch und faul.) Der Unterschied zwischen Paul Oskar Höcker, Dostojewskiy, Roda-Roda und Wedekind blaut daher lediglich in der Contenance innerhalb der besagten Verlegenheitsgeste. Ob einer in richtig funktionierenden Trochäen oder sonstwie bilderstrotzend (alle Bilder sind plausibel!) oder sozusagen naturalistisch mir vorsäuselt, dass ihm übel war, und, seit er es schwarz auf weiss hat, besser wurde, oder, dass ihm zwar wohl war (schau, schau!), aber übel wurde, als er das nicht mehr begriff (teremtete!): es ist immer dieselbe untereselhafte Anstrengung, aus der Verlegenheit sich ziehen zu wollen, indem man sie (stilisierend, ogottogotto) – gestaltet. Grässliches Wort! Das heisst: aus dem Leben, das unwahrscheinlich ist bis in die Fingerspitzen, etwas Wahrscheinliches machen! Über dieses Chaos von Dreck und Rätsel einen erlösenden Himmel stülpen! Den Menschenmist ordnend durchduften! Ich danke! ... Gibt es ein idiotischeres Bild als einen (puh!) genial stilisierenden Kopf, der bei dieser Beschäftigung mit sich selbst kokettiert? (Nur nebenbei: 10 centimes dem Kühnen, der mir nachweist, dass das Kokettieren bei Ethbolden nicht stattfindet!) O über die so überheitere Verlegenheit, die mit einer Verbeugung vor sich selber endet! DESHALB (dieser stilisierten Krümmung wegen) werden Philosophien und Romane erschwitzt, Bilder geschmiert, Plastiken gebosselt, Symphonien hervorgeächzt und Religionen gestartet. Welch ein erschütternder Ehrgeiz, zumal diese eitlen Eseleien durchwegs gründlich (sc. besonders in deutschen Gauen) missglückt sind. Alles Unfug!

7.

Die schönste Landschaft, die ich kenne, ist das Café Barratte bei den Pariser Hallen. Aus zwei Gründen. Ich machte daselbst die Bekanntschaft Germaines, die u. a. zischte: »C'est possible que je serais bonne, si je saurais pourquoi.«

Hämisch gestehe ich es ein: ich erblasste vor Freude. Und dann hat in diesem freundlichen Lokal Jean Kartopaïtès, der sonst nur mit Herren ohne Stehkragen sich einliess, den Verkehr mit mir brüsk abgebrochen, weil ich so unvorsichtig war, den Namen Picasso fallen zu lassen.

8.

Ach die lieben weissen Porzellanteller! Denn . . . Nun denn: ehemals wollte man, was man nicht aussprechen zu können vorgab, also gar nicht hatte, malerisch vermitteln (juchhu! Als ob man auch nur eine Vizekönigin fein säuberlich abkonterfeien könnte, wenn man nicht wüsste, dass sie kein Fauteuil ist. Siehe Hängematte!) Wohin diese Sudelburschen geraten würden, wenn sie aufhörten, Ölphotos zu wichsen, war somit längst vorabzulächeln. (Hinter die Ohren: mehr Madchen, bitte, mehr Madchen!) Aber die Impressionen! Nun, WAS ist erreicht, wenn man nach heftigem Blinzeln sich zurechtbauen kann, dass jener Kartoffelvertilger auch nur eine Kuhe ersah, aber erst SO sich vorzublähen vermochte, dass es SEINE Kuhe gewesen sei, eine ganz besondere Kuhe, kurz: DIE Kuh UND erlösend? (teremtete!) Aber die Expressionen! Haho: WAS ist erreicht, wenn man gefixt sieht, was ein Adjektiv leistet, und, da es auch diesem bisher missglückt ist, orientierend zu wirken, also noch ungemalt schon missglückt wäre? Aber die Cubisten, die Futuristen! Hoppla: die Champions dieser geradezu ultraviolett missglückten Pinselritte liessen zwar ausblasen, sie würden die (puh!) – liberatio gleichsam von der hohen Stilschaukel herab landen (Trapezritt! Trapezritt! Etwa so: ›Wir werden diese Verlegenheit schon schaukeln!‹), erreichten aber nicht nur, dass nicht einmal ein Chignon ins Schaukeln geriet, sondern vielmehr gerade die wildesten Esel in geregeltem Trapp arrivierten (O wurfbesprungener Sagot! etc. pp. pp.) Unfug! Unfug!

9.

Das unter 8 im Grunde bereits für schlecht Erwachsene geredet: Fibelhaftes, außerordentlich Fibelhaftes! Immerhin noch zur Vorsicht zu notieren, meine Kleinen:

a. Plastik: sehr unhandliches Spielzeug, verschärft durch metaphysischen Augenaufschlag.
b. Musike: Pantopon- oder Sexualersatz. (Längst unterfibelhaft!)
c. Lyrik: ein Knabe befindet sich in der Klemme. Rezept: frage ihn, von welcher er träumt, und du kannst ihm sagen, mit welcher er nicht geschlafen hat. (Selbstverständlich befindet man sich STETS in der Klemme; in der c-Klemme aber hat man sich denn doch nicht mehr zu befinden!)
d. Roman und so: die Herren reden wie am Spiess oder neuerdings überhaupt nicht mehr. Noch ein wenig Schweiss und die Sache glückt: Belletristik! (Am Spiess befindet man sich gar oft. Aber ein Samuel Fischer-Band ist ein zu zeitraubendes Mittel, die Luftlinie Syrakus–Butterbrot–Zentralheizung herzustellen.)

In summa, meine Kleinen: die Kunst war eine Kinderkrankheit.

10.

hat man nie einen Gedanken. Bestenfalls tut der Gedanke so, als ob. (Immer aber sein Einherredner!) Jedes Wort ist eine Blamage, wohlgemerkt. Man bläst immer nur Sätze zirkusähnlichsten Schwunges über eine Kettenbrücke (oder auch: Schlüchte, Pflanzen, Betten). Günstiger Vorschlag: man figuriere sich vor dem Einschlafen mit heftigster Deutlichkeit den psychischen Endzustand eines Selbsttöters, der durch eine Kugel sich endlich Selbstbewusstsein einloten will. Es gelingt aber nur, wenn man sich zuvor blamiert.

Schwer blamiert. Entsetzlich blamiert. Ganz masslos blamiert. So grauenhaft blamiert, dass alles mitblamiert ist. Dass jeder metaphorisch auf den Hintern fällt. Und niest.

11.

Interjektionen sind am treffendsten. (Ach die lieben weissen Porzellanteller!) ... Man muss diese Amphibien und Lurche, die sich für zu gut halten, Esel zu sein, zur Raison bringen, indem man sie ihnen austreibt! Auspeitscht! Man muss dieses schauderhafte, überlebensgrosse Ansichtskartenblau, das diese trüben Rastas an den He- Ho- Hu- Ha- (wie bitte?) Himmel hinaufgelogen haben, herunterfetzen! Man muss sein Haupt zag, aber sicher an das des Nachbarn titschen wie an ein faules Ei (gut gut). Man muss das gänzlich Unbeschreibliche, das durchaus Unaussprechbare so unertraglich nah heranbrullen, dass kein Hund langer so gescheit daherleben möchte, sondern viel dümmer! Dass alle den Verstand verlieren und ihren Kopf wiederbekommen! Man muss ihnen die Pfannkuchen, die Bibelsprüche, die Mädchenbusen, die Prozente, die Gauguins, die Rotztücher, die Strumpfbänder, die Schnäpse, die Abortdeckel, die Westen, die Wanzen, all das Zeugs, das sie gleichzeitig denken, tun und wälzen, so scharf hinter einander vor den Kinnbogen schieben, dass ihnen endlich so wohl wird, wie ihnen bislang bloss schwappig war. Man muss. Man muss eben. Teremtete!

12.

Damenseidenstrümpfe sind unschätzbar. Eine Vizekönigin IST ein Fauteuil. Weltanschauungen sind Vokabelmischungen. Ein Hund IST eine Hängematte. L'art est mort. Vive Dada!

# Texte · Dokumente

EMMY HENNINGS

## Nach dem Cabaret

Ich gehe morgens früh nach Haus.
Die Uhr schlägt fünf, es wird schon hell,
Doch brennt das Licht noch im Hotel.
Das Cabaret ist endlich aus.
In einer Ecke Kinder kauern,
Zum Markte fahren schon die Bauern,
Zur Kirche geht man still und alt.
Vom Turme läuten ernst die Glocken,
Und eine Dirne mit wilden Locken
Irrt noch umher, übernächtig und kalt.
Lieb mich von allen Sünden rein.
Sieh, ich hab manche Nacht gewacht.

## Tänzerin

Dir ist als ob ich schon gezeichnet wäre
Und auf der Totenliste stünde.
Es hält mich ab von mancher Sünde.
Wie langsam ich am Leben zehre.
Und ängstlich sind oft meine Schritte,
Mein Herz hat einen kranken Schlag
Und schwächer wird's mit jedem Tag.
Ein Todesengel steht in meines Zimmers Mitte.
Doch tanz ich bis zur Atemnot.
Bald werde ich im Grabe liegen
Und niemand wird sich an mich schmiegen.
Ach, küssen will ich bis zum Tod.

## Gesang zur Dämmerung

für Hugo Ball

Oktaven taumeln Echo nach durch graue Jahre.
Hochaufgetürmte Tage stürzen ein.
Dein will ich sein –
Im Grabe wachsen meine gelben Haare
Und in Holunderbäumen leben fremde Völker
Ein blasser Vorhang raunt von einem Mord
Zwei Augen irren ruhelos durchs Zimmer
Gespenster gehen um beim Küchenbord.
Und kleine Tannen sind verstorbene Kinder
Uralte Eichen sind die Seelen müder Greise
Die flüstern die Geschichte des verfehlten Lebens.
Der Klintekongensee singt eine alte Weise.
Ich war nicht vor dem bösen Blick gefeit
Da krochen Neger aus der Wasserkanne,
Das bunte Bild im Märchenbuch, die rote Hanne
Hat einst verzaubert mich für alle Ewigkeit.

## Ätherstrophen

Jetzt muß ich aus der großen Kugel fallen.
Dabei ist in Paris ein schönes Fest.
Die Menschen sammeln sich am Gare de l'Est
Und bunte Seidenfahnen wallen.
Ich aber bin nicht unter ihnen.
Ich fliege in dem großen Raum.
Ich mische mich in jeden Traum
Und lese in den tausend Mienen.
Es liegt ein kranker Mann in seinem Jammer.
Mich hypnotisiert sein letzter Blick.
Wir sehnen einen Sommertag zurück ...
Ein schwarzes Kreuz erfüllt die Kammer ...

# Morfin

Wir warten auf ein letztes Abenteuer
Was kümmert uns der Sonnenschein?
Hochaufgetürmte Tage stürzen ein
Unruhige Nächte – Gebet im Fegefeuer.

Wir lesen auch nicht mehr die Tagespost
Nur manchmal lächeln wir still in die Kissen,
Weil wir alles wissen, und gerissen
Fliegen wir hin und her im Fieberfrost.

Mögen Menschen eilen und streben
Heut fällt der Regen noch trüber
Wir treiben haltlos durchs Leben
Und schlafen, verwirrt, hinüber ...

HUGO BALL

## Totentanz

Nach der Melodie »So leben wir«

So sterben wir, so sterben wir.
Wir sterben alle Tage,
Weil es so gemütlich sich sterben läßt.
Morgens noch in Schlaf und Traum
Mittags schon dahin.
Abends schon zuunterst im Grabe drin.

Die Schlacht ist unser Freudenhaus.
Von Blut ist unsere Sonne.
Tod ist unser Zeichen und Losungswort.
Weib und Kind verlassen wir –
Was gehen sie uns an?
Wenn man sich auf uns nur
Verlassen kann.

So morden wir, so morden wir.
Wir morden alle Tage
Unsre Kameraden im Totentanz.
Bruder, reck dich auf vor mir,
Bruder, deine Brust,
Bruder, der du fallen und sterben mußt.

Wir murren nicht, wir knurren nicht,
Wir schweigen alle Tage,
Bis sich vom Gelenke das Hüftbein dreht.
Hart ist unsere Lagerstatt
Trocken unser Brot.
Blutig und besudelt der liebe Gott.

Wir danken dir, wir danken dir,
Herr Kaiser, für die Gnade,
Daß du uns zum Sterben erkoren hast.
Schlafe nur, schlaf sanft und still,
Bis dich auferweckt,
Unser armer Leib, den der Rasen deckt.

## Cabaret

1.

Der Exhibitionist stellt sich gespreizt am Vorhang auf
und Pimpronella reizt ihn mit den roten Unterröcken.
Koko der grüne Gott klatscht laut im Publikum.
Da werden geil die ältesten Sündenböcke.

Tsingtara! Da ist ein langes Blasinstrument.
Daraus fährt eine Speichelfahne. Darauf steht: »Schlange«.
Da packen alle ihre Damen in die Geigenkästen ein
und verziehen sich. Da wird ihnen bange.

Am Eingang sitzt die ölige Camödine.
Die schlägt sich die Goldstücke als Flitter in die Schenkel.
Der sticht einer Bogenlampe die Augen aus.
Und das brennende Dach fällt herunter auf ihren Enkel.

2.

Von dem gespitzten Ohr des Esels fängt die Fliegen
ein Clown, der eine andre Heimat hat.
Durch kleine Röhrchen, die sich grünlich biegen,
hat er Verbindung mit Baronen in der Stadt.

In hohen Luftgeleisen, wo sich enharmonisch
die Seile schneiden, drauf man flach entschwirrt,
Versucht ein kleinkalibriges Kamel platonisch
zu klettern; was die Fröhlichkeit verwirrt.

Der Exhibitionist, der je zuvor den Vorhang
bedient hat mit Geduld und Blick für das Douceur,
vergißt urplötzlich den Begebenheitenvorgang
und treibt gequollene Mädchenscharen vor sich her.

## Sieben schizophrene Sonette

### 1. Der grüne König

Wir, Johann, Amadeus Adelgreif,
Fürst von Saprunt und beiderlei Smeraldis,
Erzkaiser über allen Unterschleif
Und Obersäckelmeister vom Schmalkaldis

Erheben unsern grimmen Löwenschweif
Und dekretieren vor den leeren Saldis:
»Ihr Räuberhorden, eure Zeit ist reif.
Die Hahnenfeder ab, ihr Garibaldis!

Man sammle alle Blätter unserer Wälder
Und stanze Gold daraus, soviel man mag.
Das ausgedehnte Land braucht neue Gelder.

Und eine Hungersnot liegt klar am Tag.
Sofort versehe man die Schatzbehälter
Mit Blattgold aus dem nächsten Buchenschlag.«

## 2. Die Erfindung

Als ich zum ersten Male diesen Narren
Mein neues Totenwäglein vorgeführt,
War alle Welt im Leichenhaus gerührt
Von ihren Selbstportraits und anderen Schmarren.

Sie sagten mir: nun wohl, das sei ein Karren,
Jedoch die Räder seien nicht geschmiert,
Auch sei es innen nicht genug verziert
Und schließlich wollten sie mich selbst verscharren.

Sie haben von der Sache nichts begriffen,
Als daß es wurmig zugeht im Geliege
Und wenn ich mich vor Lachen jetzt noch biege,

So ist es, weil sie drum herum gestanden,
Die Pfeife rauchten und den Mut nicht fanden,
Hineinzusteigen in die schwarze Wiege.

## 3. Der Dorfdadaist

In Schnabelschuhen und im Schnürkorsett
Hat er den Winter überstanden,
Als Schlangenmensch im Teufelskabinett
Gastierte er bei Vorstadtdilettanten.

Nun sich der Frühling wieder eingestellt
Und Frau Natura kräftig promenierte,
Hat ihn die Lappen- und Attrappenwelt
Verdrossen erst und schließlich degoutieret.

Er hat sich eine Laute aufgezimmert
Aus Kistenholz und langen Schneckenschrauben,
Die Saiten rasseln und die Stimme wimmert,
Doch läßt er sich die Illusion nicht rauben.

Er brüllt und johlt, als hinge er am Spieße.
Er schwenkt jucheiend seinen Brautzylinder.
Als Schellenkönig tanzt er auf der Wiese
Zum Purzelbaum der Narren und der Kinder.

## 4. Der Schizophrene

Ein Opfer der Zerstückung, ganz besessen
Bin ich – wie nennt ihr's doch? – ein Schizophrene.
Ihr wollt, daß ich verschwinde von der Szene,
Um euren eigenen Anblick zu vergessen.

Ich aber werde eure Worte pressen
In des Sonettes dunkle Kantilene.
Es haben meine ätzenden Arsene
Das Blut euch bis zum Herzen schon durchmessen.

Des Tages Licht und der Gewohnheit Dauer
Behüten euch mit einer sichern Mauer
Vor meinem Aberwitz und grellem Wahne.

Doch plötzlich überfällt auch euch die Trauer.
Es rüttelt euch ein unterirdischer Schauer
Und ihr zergeht im Schwunge meiner Fahne.

## 5. Das Gespenst

Gewöhnlich kommt es, wenn die Lichter brennen.
Es poltert mit den Tellern und den Tassen.
Auf roten Schuhen schlurrt es in den nassen
Geschwenkten Nächten und man hört sein Flennen.

Von Zeit zu Zeit scheint es umherzurennen
Mit Trumpf, Atout und ausgespielten Assen.
Auf Seil und Räder scheint es aufzupassen
Und ist an seinem Lärmen zu erkennen.

Es ist beschäftigt in der Gängelschwemme
Und hochweis weht dann seine erzene Haube,
Auf seinen Fingern zittern Hahnenkämme,

Mit schrillen Glocken kugelt es im Staube.
Dann reißen plötzlich alle wehen Dämme
Und aus der Kuckucksuhr tritt eine Taube.

## 6. Der Pasquillant

Auch konnt es unserm Scharfsinn nicht entgehen,
Daß ein Herr Geist uns zu bemäkeln pflegt,
Indem er ein Pasquill zusammenträgt,
Das ihm die Winde um die Ohren säen.

Bald kritzelt er, bald hüpft er aufgeregt
Um uns herum, dann bleibt er zuckend stehen
Und reckt den Schwartenhals, um zu erspähen,
Was sich in unserm Kabinett bewegt.

Den Bleistiftstummel hat er ganz zerbissen,
Die Drillichnaht ist hinten aufgeschlissen,
Doch dünkt er sich ein Diplomatenjäger.

De fakto dient bewußter Schlingenleger
Dem Kastellan als Flur- und Straßenfeger
Und hat das Recht die Kübel auszugießen.

7. Intermezzo

Ich bin der große Gaukler Vauvert.
In hundert Flammen lauf ich einher.
Ich knie vor den Altären aus Sand,
Violette Sterne trägt mein Gewand.
Aus meinem Mund geht die Zeit hervor,
Die Menschen umfaß ich mit Auge und Ohr.

Ich bin aus dem Abgrund der falsche Prophet,
Der hinter den Rädern der Sonne steht.
Aus dem Meere, beschworen von dunkler Trompete,
Flieg ich im Dunste der Lügengebete.
Das Tympanum schlag ich mit großem Schall.
Ich hüte die Leichen im Wasserfall.

Ich bin der Geheimnisse lächelnder Ketzer,
Ein Buchstabenkönig und Alleszerschwätzer.
Hysteria clemens hab ich besungen
In jeder Gestalt ihrer Ausschweifungen.
Ein Spötter, ein Dichter, ein Literat
Streu ich der Worte verfängliche Saat.

## Karawane

jolifanto bambla   o   falli bambla
großiga m'pfa habla horem
egiga goramen
higo   bloiko russula   huju
hollaka   hollala
anlogo bung
blago   bung   blago bung
bosso fataka
ü   üü   ü

schampa wulla wussa olobo
hej tatta gorem
eschige zunbada
wulubu ssubudu uluwu ssubudu
tumba ba-umf
kusa gauma
ba – umf

## Seepferdchen und Flugfische

tressli bessli nebogen leila
flusch kata
ballubasch
zack hitti zopp

zack hitti zopp
hitti betzli betzli
prusch kata
ballubasch
fasch kitti bimm

zitti kitillabi billabi billabi
zikko di zakkobam
fisch kitti bisch

bumbalo bumbalo bumbalo bambo
zitti kitillabi
zack hitti zopp

treßli beßli nebogen grügrü
blaulala violabimini bisch
violabimini bimini bimini
fusch kata
ballubasch
zick hiti zopp

## Gadji beri bimba

gadji beri bimba glandridi laula lonni cadori
gadjama gramma berida bimbala glandri galassassa
    laulitalomini
gadji beri bin blassa glassala laula lonni cadorsu sassala bim
gadjama tuffm i zimzalla binban gligla wowolimai bin beri
    ban
o katalominai rhinozerossola hopsamen laulitalomini hoooo
gadjama rhinozerossola hopsamen
bluku terullala blaulala loooo

zimzim urullala zimzim urullala zimzim zanzibar zimzalla
    zam
elifantolim brussala bulomen brussala bulomen tromtata
velo da bang bang affalo purzamai affalo purzamai lengado
    tor
gadjama bimbalo glandridi glassala zingtata pimpalo
    ögrögöööö
viola laxato viola zimbrabim viola uli paluji malooo

tuffm im zimbrabim negramai bumbalo negramai bumbalo
    tuffm i zim
gadjama bimbala oo beri gadjama gaga di gadjama affalo pinx
gaga di bumbalo bumbalo gadjamen
gaga di bling blong
gaga blung

## Totenklage

ombula
take
biti
solunkola
tabla tokta tokta takabla
taka tak
Babula m'balam
tak tru – ü
wo – um
biba bimbel
o kla o auw
kla o auwa
la – auma
o kla o ü
la o auma
klinga – o – e – auwa
ome o-auwa
klinga inga M ao – Auwa
omba dij omuff pomo – auwa
tru – ü
tro-u-ü o-a-o-ü
mo-auwa
gomum guma zangaga gago blagaga
szagaglugi m ba-o-auma
szaga szago
szaga la m'blama
bschigi bschigo
bschigi bschigi
bschiggo bschiggo
goggo goggo
ogoggo
a – o – auma

3 PIFFALAMOZZA ( Der Stier)

PIFFALA MOZZA

RAMIN

RAMIN

SISSI FAZZO

SISSI FANZZO

SISSI FUZZIKATO

SISSI FANTOLIM

SISSI FANTOLIM

Hej! Hej!

Hej! Hej!

( im Bilde des Stiers:

Zirkel, Kelle, B O, Stern )

## Das Carousselpferd Johann

»Eins ist gewiß«, sprach Benjamin, »Intelligenz ist Dilettantismus. Intelligenz blufft uns nicht mehr. Sie schauen hinein. Wir schauen heraus. Sie sind Jesuiten der Nützlichkeit. Intelligent wie Savonarola, das gibt es nicht. Intelligent wie Manasse, das gibt es. Ihre Bibel ist das bürgerliche Gesetzbuch.«

»Du hast recht«, sagte Jopp, »Intelligenz ist verdächtig: Scharfsinn lancierter Reklamechefs. Der Asketenverein zum häßlichen Schenkel hat die Platonische Idee erfunden. ›Das Ding an sich‹ ist heute ein Schuhputzmittel. Die Welt ist keß und voll Epilepsie.«

»Genug«, sprach Benjamin, »mir wird übel, wenn ich von ›Gesetz‹ höre und von ›Kontrast‹ und ›Harmonie‹ und von ›Also‹ und ›folglich‹. Das Zebu ist ein ostindischer Ochse. Und der Lämmergeier keine Stopfgans. Ich hasse die Addition und die Niedertracht. Man soll eine Möve, die in der Sonne die Schwingen putzt, auf sich beruhen lassen und nicht ›also‹ zu ihr sagen. Sie leidet darunter.«

»Also«, sprach Stießelhäher, »laßt uns das Carousselpferd Johann in Sicherheit bringen und einen Kantus singen aufs ›Fabelhafte‹.«

»Ich weiß nicht«, sprach Benjamin, »wir sollten doch lieber sofort das Carousselpferd Johann in Sicherheit bringen. Es sind Anzeichen vorhanden, daß Schlimmes bevorsteht.«

In der Tat waren Anzeichen vorhanden, daß Schlimmes bevorstand. Ein Kopf war gefunden worden, der schrie »Blut! Blut! Blut!« unstillbar und Petersilien wuchsen ihm über die Backen herunter. Die Thermometer standen voll Blut. Und die Muskelstrecker funktionierten nicht mehr.

Auf himmelblauer Tenne aber, mit großen Augen, ganz in Schweiß gebadet, stand das Carousselpferd Johann. »Nein nein«, sagte Johann, »hier bin ich geboren, hier will ich sterben.« Das war eine Unwahrheit. Denn Johanns Mutter

stammte aus Dänemark. Der Vater war Ungar. Man wurde sich aber doch einig und floh noch in selbiger Nacht.
»Parbleu«, sagte Stießelhäher, »hier hat die Welt ein Ende. Hier ist eine Wand. Hier kommen wir nicht weiter.«
In der Tat gab es da eine Wand. Die stieg senkrecht zum Himmel. »Lachhaft«, sprach Jopp, »wir haben die Fühlung verloren. Ließen uns da in die Nacht hinein und haben vergessen, Gewichtsteine an uns zu hängen.«
»Papperlapapp«, sprach Stießelhäher, »hier müffelt's. Ich gehe nicht weiter. Hier liegen Fischböcke. Hier waren die Seekatzen am Werk. Hier hat man die Wellenböcke gemolken.«
»Weiß der Teufel«, sprach Runzelmann, »auch mir ist nicht recht geheuer. Man wird uns die Scharlatanenhemden über die Ohren ziehen.« Er schlotterte heftig. »Das Ganze halt!« befahl Benjamin, »was steht da? Ein Zeiserlwagen? Grün mit Gitterfenstern? Was wächst da? Agaven, Fächerpalmen und Tamarinden? Jopp, sieh im Zeichenbuch nach, was das zu bedeuten hat!«
»Kommen Sie näher, meine Herren«, ließ sich plötzlich eine Stimme vernehmen. »Sie sind auf dem Holzweg.« Es war der Häuptling Feuerschein. »Wo tappen Sie nächtlicherweile herum? Und in welchem Aufzug? Nehmen Sie die Celluloidnasen ab! Demaskieren Sie sich! Man kennt Sie. Was sind das für Schellenbäume, die Sie da bei sich tragen?«
»Das sind Pritschen und Klingelstöcke und Narrenpeitschen, mit Verlaub.«
»Was ist das für ein Blasinstrument?«
»Das ist der Nürnberger Trichter.«
»Und was ist das für ein Watteklumpen da an der Leine?«
»Das ist das Carousselpferd Johann, bestens in Watte verpackt.«
»Larifari, was wollen Sie mit dem Carousselpferd hier in der Libyschen Wüste? Wo haben Sie das Pferd her?«
»Es ist gewissermaßen ein Symbol, Herr Feuerschein. Wenn

Sie gestatten. Sie sehen nämlich in uns den sterilisierten Phantastenklub ›Blaue Tulpe‹.«

»Symbol hin, Symbol her, Sie haben das Pferd dem Heeresdienste entzogen. Wie heißen Sie?«

»Das ist ein entsetzlicher Kerl«, sagte Jopp leise zu Stießelhäher, »das ist ja die glatte Robinsonade.«

»Mumpitz«, sprach Stießelhäher, »er ist eine Fiktion. Das hat dieser Benjamin angerichtet. Er denkt sich das aus und wir haben zu leiden darunter.« »Sehr geehrter Herr Feuerschein! Ihr conföderiertes Naturburschentum imponiert uns nicht. Noch Ihre Latwergfarbe. Noch Ihre entliehene Kinodramatik. Aber ein Wort zur Aufklärung: Wir sind Phantasten. Wir glauben nicht mehr an die Intelligenz. Wir haben uns auf den Weg gemacht, um dies Tier, dem unsere ganze Verehrung gilt, vor dem Mob zu retten.«

»Ich kann Sie verstehen«, sprach Feuerschein, »aber ich bin außer Stande, Ihnen zu helfen. Steigen Sie ein in den Zeiserlwagen! Auch das Pferd, was Sie da bei sich haben! Vorwärts marsch, keine Umstände, einsteigen!«

Die Hündin Rosalie lag schwer in den Wochen. Fünf junge Polizeihunde erblickten das Licht der Welt. Sie trugen preußische Wappen und hatten naßgraue Köpfe. Auch fing man um diese Zeit in einem Spreekanal zu Berlin einen chinesischen Kraken. Das Tier wurde auf die Polizeiwache gebracht.

RICHARD HUELSENBECK

## Der Idiot

Die grauen Kiemen sind herabgelassen
die Ohren weit und mühsam aufgesperrt;
Aus Augen blöd auf ungeheure Massen
von Welten starrend. Exkrement der Rassen.

Um ihn sie klappern mit den Tischgeräten,
mit roten Tüchern reizen sie den Stier;
Er aber sinkt und schwimmt, von hier
entfernt auf blauen Tulpenbeeten.

Die Ampel ist vor seiner Nase aufgehängt;
Er rührt sie kaum die langen Affenarme,
er brüllt im Lachen doch er scheint gedrängt
zur Wehmut und zum allertiefsten Harme.

In Kirchen sind die roten Teppiche gehängt;
Ein Priester, geil, will ihn mit Pinseln waschen.
Da brennt der Wagen. Die Beamten haschen
vor dem Altar ihn, wo die Kerzen schlendern.

Er stemmt die Arme gegen feste Riemen,
die Ziemer knacken, hart sind Eisenstangen,
und Wände, die im Tanze ihn umsprangen,
zerreißen die herabgelassenen Kiemen.

Ein Kolibri sitzt zwitschernd auf dem Aas,
die Zweige streicheln sorgsam seine Beine,
die aufgereckt wie Wegweiser aus seinem
Bauche glotzen. Im blanken Sonnenscheine.

Mistkäfer gröhlen tief in seinen Lenden;
Die haben sich am Eiter, warm, bezecht.
Ein Bauernkind wirft Steine nach den Enden
seiner Zehen. Auf ihn scheißt ein Knecht.

## Ebene

Schweinsblase Kesselpauke Zinnober cru cru cru
Theosophia pneumatica
die große Geistkunst = poème bruitiste aufgeführt
zum erstenmal durch Richard Huelsenbeck DaDa
oder oder birribum birribum saust der Ochs im Kreis herum
oder Bohraufträge für leichte Wurfminen-Rohlinge 7,6 cm
Chauceur Beteiligung Soda calc. 98/100 %
Vorstehund damo birridamo holla di funga qualla di mango
damai da dai umbala damo
brrs pffi commencer Abrr Kpppi commence Anfang Anfang
sei hei fe da heim gefragt
Arbeit
Arbeit
brä brä brä brä brä brä brä brä brä
sokobauno sokobauno sokobauno
Schikaneder Schikaneder Schikaneder
dick werden die Ascheneimer sokobauno sokobauno
die Toten steigen daraus Kränze von Fackeln um den Kopf
sehet die Pferde wie sie gebückt sind über die Regentonnen
sehet die Paraffinflüsse fallen aus den Hörnern des Monds
sehet den See Orizunde wie er die Zeitung liest und das Beefsteak verspeist
sehet den Knochenfraß sokobauno sokobauno
sehet den Mutterkuchen wie er schreiet in den Schmetterlingsnetzen der Gymnasiasten
sokobauno sokobauno
es schließet der Pfarrer den Ho-osenlatz rataplan rataplan den Ho-osenlatz und das Haar steht ihm au-aus den Ohren

vom Himmel fä-ällt das Bockskatapult das Bockskatapult
und die Großmutter lüpfet den Busen
wir blasen das Mehl von der Zunge und schrein und es wandert der Kopf auf dem Giebel
es schließet der Pfarrer den Ho-osenlatz rataplan rataplan
den Ho-osenlatz und das Haar steht ihm au-aus den Ohren
vom Himmel fä-ällt das Bockskatapult das Bockskatapult
und die Großmutter lüpfet den Busen
wir blasen das Mehl von der Zunge und schrein und es wandert der Kopf auf dem Giebel
Dratkopfgametot ibn ben zakalupp wauwoi zakalupp
Steißbein knallblasen
verschwitzt hat o Pfaffengekrös Himmelseverin
Geschwür im Gelenk
balu blau immer blau Blumenpoet vergilbt das Geweih
Bier bar obibor
baumabor botschon ortitschell seviglia o ca sa ca ca sa ca ca sa ca ca sa ca ca sa ca ca sa
Schierling in Haut gepurpur schwillt auf Würmlein und Affe hat Hand und Gesäß
O tscha tschipulala o ta Mpota Mengen
Mengulala mengulala kulilibulala
Bamboscha bambosch
es schließet der Pfarrer den Ho-osenlatz rataplan rataplan
den Ho-osenlatz und das Haar steht ihm au-aus den Ohren
Tschupurawanta burruh pupaganda burruh
Ischarimunga burruh den Ho-osenlatz den Ho-osenlatz
kampampa kamo den Ho-osenlatz den Ho-osenlatz
katapena kamo katapena kara
Tschuwuparanta da umba da umba da do
da umba da umba da umba hihi
den Ho-osenlatz den Ho-osenlatz
Mpala das Glas der Eckzahn trara
katapena kara der Dichter der Dichter katapena tafu

Mfunga Mpala Mfunga Koel
Dytiramba toro und der Ochs und der Ochs und die Zehe voll Grünspan am Ofen
Mpala tano mpala tano mpala tano mpala tano ojoho mpala tano mpala tano ja tano ja tano ja tano o den Ho-osenlatz
Mpala Zufanga Mfischa Daboscha Karamba juboscha daba eloe

## Flüsse

Aus den gefleckten Tuben strömen die Flüsse in die Schatten der lebendigen Bäume
Papageien und Aasgeier fallen von den Zweigen immer auf den Grund
Bastmatten sind die Wände des Himmels und aus den Wolken kommen die großen Fallschirme der Magier
Larven von Wolkenhaut haben sich die Türme vor die blendenden Augen gebunden
O ihr Flüsse Unter der ponte dei sospiri fanget ihr auf Lungen und Lebern und abgeschnittene Hälse
In der Hudsonbay aber flog die Sirene oder ein Vogel Greif oder ein Menschenweibchen von neuestem Typus
mit eurer Hand greift ihr in die Taschen der Regierungsräte die voll sind von Pensionen allerhand gutem Willen und schönen Leberwürsten
was haben wir alles getan vor euch wie haben wir alle gebetet
vom Skorpionstich schwillet der Hintern den heiligen Sängern und Ben Abka der Hohepriester wälzt sich im Mist
eure Adern sind blau rot grün und orangefarben wie die Gesichte der Ahnen die im Sonntagsanzuge am Bord der Altäre hocken
Zylinderhüte riesige o aus Zinn und Messing machen ein himmlisches Konzert

die Gestalten der Engel schweben um eueren Ausgang als der Widerschein giftiger Blüten
so formet ihr euere Glieder über den Horizont hinaus in den Kaskaden
von seinem Schlafsofa stieg das indianische Meer die Ohren voll Watte gesteckt
aus ihren Hütten kriechen die heißen Gewässer und schrein
Zelte haben sie gespannet von Morgen bis Abend über eurer Brunst und Heere von Phonographen warten vor dem Gequäck eurer Lüste
ein Unglück ist geschehen in der Welt
die Brüste der Riesendame gingen in Flammen auf und ein Schlangenmensch gebar einen Rattenschwanz
Umba Umba die Neger purzeln aus den Hühnerställen und der Gischt eueres Atems streift ihre Zehn
eine große Schlacht ging über euch hin und über den Schlaf eurer Lippen
ein großes Morden füllete euch aus

## Dada-Gedicht

I

Auf den großen Plätzen stehen die Weiden,
Schon seit Wochen sind die Messer gewetzt,
Wolken und Donnerschlag überstehen die Zeit,
Wo sind die Flüsse, die wir uns geschenkt?
Wo sind die Mützen, die wir uns gestülpt?
Wo ist der Weihnachtsbaum, der vom Wurm benagt,
dem Allerheiligsten sich verband und die Kinder
erfreut . . .?
Hier schreit der Mullah von hoher Warte in
siedender Stadt, und die Fische sind faul,
und die Menschen, die sie aßen, sind faul

und die Bäuche, wie Fischbäuche, blau und
glänzend, so stehen sie da, und der Tod ist nah.
Viele Wochen gingen wir barfuß durch Wüsten
und Wald, um das Meer zu sehen und die Einsamkeit
zu fliehen, die sich mit Stern und Stumpf auf uns
gesenkt hat.
Wir sammelten Groschen, uns zu ernähren, wir
kauften das Billett für das Wüstenroß, Kamel genannt,
und der Peitsche Schwung war unser Gast.
Wir hatten viele berühmte Gäste, darunter
Wanzen und Flöhe, mit dem heiligen Zeichen auf dem
Bauch, und wir kauften Flohwasser, sie zu nähren.
Als wir in die große Stadt kamen, sagten die Flöhe Halt.
Und wir standen mit Halt und Huhn, gewickelt und
gespornt und bereit, das Wesen zu ergründen.
Wir sind geworden wie wir waren, sagte der Mann,
der auf einem Bein der Tiefe Zechkumpan war.
Wir waren, was wir geworden sind, sagte ich.
Dann nahm ich die Zeitung und wickelte alles ein.
Dann kam der Mann und wickelte alles aus, und
ein Soldat stellte sich schützend vor uns,
der Gefahr ein kluges Ohr leihend.
Dies war die Zeit, als die Flut stieg und die
Zeit sich drehte und die Palmen fielen wie Heu.

Dies war die Zeit des großen Brandes, als der Brand-
atem die Dinge verstellte und der Verstellung genug
die Menschen anfiel, die von Fliegen und Wind bedroht,
sich dem Ewigen hingaben.

II

Kaum hatten wir dem Mann die Hosen abgezogen,
stand er da, in Fülle und erstaunt über soviel
Begeisterung und er sagte errötend: »Wie können Sie?«
Und wir sagten, wer will der kann auch, und die

beste Tugend ist Tüchtigkeit, wenn man es richtig ansieht. Und der Mann sagte, es sei gut und wir schüttelten uns die Hände.

Dies war die Zeit, als der Glocken Singsang die Sünder betörte, und sie traten aus dem Haus, die Brillen wegwerfend, und sie warfen die Krücken fort, und als die Krücken fort waren, warfen sie die Tücher fort, die rosafarbenen und die fliederfarbenen Halskravatten, und als die fliederfarbenen Halskravatten fort waren, warfen sie sich selber fort und sich fortwerfend warfen sie sich vorwärts. Und wir trafen sie auf dem Markt, wo die Fahnen den Kaiser begrüßten.

Der Kaiser war ein junger Mann und er hatte die Welt unter sich und er trug den Reichsapfel wie ein Bruchband als aufrechter Mann, der er war. Und er sagte, er sei so aufrecht, wie es sich machen ließ und er hielt den Reichsapfel hoch gegen das Volk bis zum Adamsapfel, und das Volk warf ihm Äpfel zu, und alle freuten sich über die Äpfel.

Und der Mann, dem wir die Hosen abgezogen hatten, stand da und betrachtete sein Schicksal. »Es ist Schwefel in der Luft« sagte er »und die Flüsse ringeln sich fort, dem Horizont zu. Und die Häuser knistern in der Sonne und Wind und die Menschen stehen zusammen wie Frösche im Teich, und alles steht zusammen.«

Und wir nahmen uns die Freiheit und wir sprachen zu ihm, während die Jünger herumstanden und das allgemeine Los der Menschheit beklagten. Und eine Frau zog Brötchen aus ihrem Korb und sie sagte »Aha«. Und wir alle sagten: »Aha«.

Dies war die Zeit, als die Jahre schwarz wurden und silbern im Schein der Unendlichkeit und das rötliche Licht verblaßte und der Gesang der Sterne war es nicht mehr.

III

Man fand die Toten in einem gemeinsamen Grab, das gegen den Berg lag und der Sonne entwunden. Der Ozean schüttelte seine gischtigen Fäuste und der Wind, im Observatorium registriert, kam von Zeit zu Zeit, ein Besucher der Grashalme, ein Beküsser der Palmen. Dort, wo die Weite anfängt, gibt es keine Tränen, und die Knochen der Maulesel sind gut genug für die Kinder, sich damit zu bewerfen. Dung und Dreck füllt die Welt der Hoffnung, und der Abend ist wie ein Vorhang in einem Bordell. Es ist nicht das Bordell in der Rue d'Hanovre, wo einst Eduard der Siebente vor goldenen Huren sich beugte, und er steckte sein Szepter unter das Bett. Bist Du ein König oder ein Kaiser, fragte Suzette und sie nahm den roten Pantoffel unter ihrem Kleid, seine Wange zu schlagen.
Ich bin wie ein Maulesel, sagte der Mann und habe die Wünsche eines Maulesels, morgens wiehere ich laut und gegen Abend, wenn die Sonne der Baracken Zinndach vergoldet, suche ich nach meinem Weib. Sie ist die Mauleselin.

Ich habe viele Mauleselinnen in meinem Leben getroffen, sagte der Maulesel, aber sie ist die schönste von allen und sie riecht nicht wie Mauleselinnen tuen, nach trockener Haut und unverdauten Kräutern.

Wir essen Disteln zum Abend und sie kocht sie in großem silbernem Topf auf heißen Steinen. Sie werden mit Ratten gewürzt und mit Fröschen gespeist. Lehm, Thymian und Myrrhen sind die Zutaten und vielleicht ein kleines

Zitroneneis hinterher. Aber dies überlassen wir dem Zufall und der Börse.

Das Schicksal der Wesen aller Art, sagte der Maulesel, liegt in seinen Hufen. Halte sie blank und Dir wird wohl sein. So sprachen wir noch eine Zeitlang, bis die Kälte mir hinter den Schlips kroch, und die Sanddünen in der Weite erschienen mir plötzlich wie kleine Eisberge, verschiebbar und aufzudrehn wie ein Spielzeug für Kinder.

Dies war die Zeit, als der Missionar Stübel, der so sehr auf Gott gehofft hatte, an einem Leberleiden erkrankte, und er war im Zweifel, ob er Gott oder das Schicksal anklagen sollte. Er zählte ab, an den Knöpfen seines Nachtgewandes, aber sein Herz, müde und zerzaust von der Wucht jahrelanger Illusionen,
gab nach wie eine Hecke, die der Wind umlegt, und er starb, so wie er gelebt hatte, ohne Kommen und ohne Gehen, ohne Sinn und Verstand.

IV

Ich will nichts mehr sehen als Dich, wenn ich sehe, aber wenn das Ende des Sehens kommt, sehe ich Dich nicht. So stehe ich, wie ich sehe und was ich stehe, muß ich sehen.
Als wir dies sagten, fiel der Donner über die Stadt, und als der Donner kam, sagten die Menschen »Aha«.

Das ist die gute Zeit, wo ein Aha dem anderen folgt, aber es gab auch Zeiten, wo man sagte, daß dem Nachsagen nichts vorgesagt werden könnte.

Die Menschen standen auf Märkten und handelten mit faulen Fischen und die Trödler beherrschten die Welt. Das war die Zeit der Pastöre und Komödianten, und die Komödien spielten Tag und Nacht. Und die Menschen wußten nichts zu sagen als »Aha«.

Der blaue Dunst machte sich breit, wohlbekannt den Ingenieuren, die dem blauen Dunst nachhalfen in Farbe und Form. Und in den Zeitungen wünschten die Schreiber Glück dem gewaltigen Experimente des blauen Dunstes, und so – eines Tages, als sie alle zusammenstanden, blau und Dunst und blauer Dunst und alle die anderen, die mit Windeseile gekommen waren und als man der Verbeugung nachging und die Reverenz vor dem Ungekannten die Allgemeinheit erschreckte, da geschah das große »Aha«.

Und die Trompeten, mit gewaltigen Fürzen, ließen das blaue Dunstlied aus, und die metallenen Hälse der Instrumente bogen sich in Freude und die Dankbarkeit war allgemein.

Dies war das blaue Dunstjahr und die Kinder gingen auf ihren rosigen Zehen und in weißgestärkten Kleidern durch die blaue Dunststadt, die sich allem öffnete wie eine Tulpe. Die Menschen trugen Tulpen um ihre Hälse gewickelt und der Tulpen war ein großer blauer Dunst überall.

Dies war das Jahr, wo alles ineinanderfiel und das große Knittern begann. Von den Ecken brach es ab wie morscher Kuchen und das gelbe Faserholz faserte aus.

V

Auf den Schiffen fuhren wir lange und die See
war rot und die Sonne am Tag und die Sterne nachts,
Sonne und Erde, rote Gesellen, und wir fuhren durch Tang
und der Duft des Wassers und die Tiefe der See, aha,
irgendwo braust ein neuer Sturm, der alles glattfegen
wird.

Die Sonnen sind wie feurige Kreisel und die Sterne
als wären sie dem Bauch der Nacht entfallen, glitzernd,
nervöse Steine, schnaubende Nüstern der Unendlichkeit.
So fahren wir unter den Füßen Gottes, gewaltige Grotte
und Schatten, der uns verhängt ist, und wir singen.

Der Kapitän, mit Namen Alex singt auf dem Vorderdeck,
und er legt die Hand an den Adamsapfel, als wolle er
sich die Haut vom Hals reißen, aber nur die Uniform
fällt, und ein weißer Hals, Schwan und Schwindel, erscheint,
ein Kinderhals, der vergangene Tage zurückruft.

Einst, vor vierzig und mehr mühevollen Jahren, spielte
der Kapitän im Garten des Hauses und die Mutter
sagte »Aha«, und der Kapitän sagte »Aha«, und so
wurde aus Abend und Morgen der erste Tag.

Wenn das Rote sich dem Gelben vermengt, entsteht das Land,
und die Indianer tanzen mit wunden Füßen auf
den bewegten Kieseln, noch warm vom Bauch der Krokodile,
und da, wo der Kahn lag, ist nun ein Abdruck, als hätte
ein Riese die Erde gestampft. Sand und Soda sind
die Spielgesellen der Indianer, die den Kopfputz aus
Sellerie stolz zur Schau tragen.

»Seht, Freunde, ein Schiff« sagte der Häuptling, als er
den Tabak aus den Ohren spuckte, verkrümmt von Rheuma,

und vom Krebs, der ihm den Bauch wölbt, und kein Magier kann ihm mehr helfen. »Seht ein Schiff« sagte er.
Und die Indianer sagten »Aha«.

Und sie standen alle auf, in Reihen, die metallenen Gelenke schüttelnd, und das Zinnober, sorgfältig gesucht, fiel von ihrem Gesicht, und die Federn begannen zu zwitschern, Kolibrifedern, grün und schillernd, von Vogelschwänzen gezupft. Und alle sagten »Aha«.

## Ende der Welt

Soweit ist es nun tatsächlich mit dieser Welt gekommen
Auf den Telegraphenstangen sitzen die Kühe und spielen Schach
So melancholisch singt der Kakadu unter den Röcken der spanischen Tänzerin wie ein Stabstrompeter
und die Kanonen jammern
den ganzen Tag
Das ist die Landschaft in Lila von der Herr Mayer sprach als er das Auge verlor
Nur mit der Feuerwehr ist die Nachtmahr aus dem Salon zu vertreiben
aber alle Schläuche sind entzwei
Ja ja Sonja da sehen Sie die Zelluloidpuppe als Wechselbalg an und schreien: God save the king
Der ganze Monistenbund ist auf dem Dampfer »Meyerbeer« versammelt
doch nur der Steuermann hat eine Ahnung vom hohen C
Ich ziehe den anatomischen Atlas aus meiner Zehe
ein ernsthaftes Studium beginnt
Habt Ihr die Fische gesehen die im Cutaway vor der Opera stehen
schon zween Nächte und zween Tage?

Ach Ach Ihr großen Teufel – ach ach Ihr Imker und Platzkommandanten
Wille wau wau wau Wille wo wo wo wer weiß heute nicht was unser Vater Homer gedichtet hat
Ich halte den Krieg und den Frieden in meiner Toga aber ich entscheide mich für den Cherry-Brandy flip
Heute weiß keiner ob er morgen gewesen ist
Mit dem Sargdeckel schlägt man den Takt dazu
Wenn doch nur einer den Mut hätte der Trambahn die Schwanzfedern auszureißen es ist eine große Zeit
Die Zoologieprofessoren sammeln sich im Wiesengrund
Sie wehren den Regenbogen mit den Handtellern ab
Der große Magier legt die Tomaten auf seine Stirn
Füllest wieder Busch und Schloß
Pfeift der Rehbock hüpft das Roß
[Wer sollte da nicht blödsinnig werden]

## Schalaben – schalabai – schalamezomai

Die Köpfe der Pferde schwimmen auf der blauen Ebene
wie große dunkle Purpurblumen
des Mondes helle Scheibe ist umgeben von den Schreien
der Kometen Sterne und Gletscherpuppen
schalaben schalabai schalamezomai
Kananiter und Janitscharen kämpfen einen großen
Kampf am Ufer des roten Meeres
die Himmel ziehen die Fahne ein die Himmel verschieben die Glasdächer über dem Kampf der hellen Rüstungen
O ihr feierlichen Schatten Terebinthen und Pfeifenkraut
o ihr feierlichen Beter des großen Gottes
hinter den Schleiern singen die Pferde das Loblied des großen Gottes
schalaben schalabai schalamezomai

das Ohr des großen Gottes hängt über den Streitern
als eine Schale aus Glas
die Schreie der Kometen wandern in der Schale aus
Glas über den Ländern über dem Kampf über dem
endlosen Streite
die Hand Gottes ist schön wie die Hand meiner
Geliebten
schalaben schalabai schalamezomai
es trocknet das Gras im Leibe des Generals
auf hohen Stühlen sitzen die Schatten der Mitter-
nachtssonne
und die Weiße des nahen Meers und den harten Klang
der Stürme die der Vulkan ausbrach
so Gott seinen Mund auftut fallen die Schabracken und
kostbaren Zäume von den Rücken des Reittiers
so Gott seinen Mund auftut brechen die Brunnen der
Tiefe auf die Gehängten spielen am Waldrand die
Köpfe der Pferde aber hängen am Wogenkamm
schalaben schalabai schalamezomai
ai ai ai ich sah einen Thron ich sah zehn Thronsessel
ich sah zehnmal zehn Thronsessel und Königssitze
ich sah die Tiere des Erdkreises und die Metallvögel
des Himmels singen das unendliche Loblied des Herrn
der Phosphor leuchtet im Kopf der Besessenen schala
mezomai
und die Säue stürzen in den See der Lamana heißt
schlage an deine Brust die aus Gummi ist laß flattern
deine Zunge über die Horizonte hin
wedele mit deinen Ohren so die Eisgrotte zerbricht
ich sehe die Leiber der Toten über die Teppiche zerstreut
die Toten fallen von den Kirchtürmen und das Volk
schreiet zur Stunde des Gerichts
ich sehe die Toten reiten auf den Baßtrompeten am
Tage des Monds
rot rot sind die Köpfe der Pferde die in der Ebene
schwimmen.

## Chorus sanctus

| | | | |
|---|---|---|---|
| a a o | a e i | i i i | o i i |
| u u o | u u e | u i e | a a i |
| ha dzk | drrr bn | obn br | buß bum |
| ha haha | hihihi | lilili | leiomen |

## Die Primitiven

»indigo indigo
»Trambahn Schlafsack
»Wanz und Floh
»indigo indigai
»umbaliska
»bumm DADAI

## Der redende Mensch

DADADADADA – DIE DAME die ihre alte Größe erreicht hat
die Impotenz der Straßenfeger ist skandalös geworden
wer kann sagen ich bin seit er bin und du seid dulce et decorum est pro patria mori oder üb immer Treu und Redlichkeit oder da schlag einer lang hin oder ein Tritt und du stehst im Hemd wer wagt es Rittersmann oder Knapp und es wallet und siedet und brauset und zischt Concordia soll ihr Name sein schon bohren die Giraffen die Köpfe in den Sand und noch immer donnert das Kalbfell nicht was wollen Sie von mir in meiner Jugend eine Schönheit jagt die andre und der Polarhase sprang vom Kreuzbein ab o ah o die Negerinnen rasen auf die Trommeln paukend am Abhang

der Berge einige kriechen andere fliegen einige platzen andere zerren sich und die vielen länglich hinab was will man von mir in meiner Jugend an meinen Haaren lassen sich die jungen Affen blitzschnell herab auf der Fläche meiner Zähne grasen die blauen Pferde in meinen Brüsten hockt wechselnd das RHINOZEROS surre surre hopp hopp hopp surre surre hopp hopp hopp wer brachte den Panther in die Straßenbahn wer trat der Tante in das Gummigesäß ich bins meine Damen und Herren ich bin das Ereignis seit Sonnenaufgang drei Kinder schenkte mir Mafarka der Futurist und schon schmort das dritte in der Kasserolle aus glänzendem Stahlblech denn wie sagt schon Vater Homer schlagt sie haut sie prügelt sie bis der Absinth in den Capillarröhren tanzt ich bin der Papst und die Verheißung und die Latrine in Liverpool

## Die Kesselpauke

HOHOHOHOHO wo wo ist das Krematorium das aus den Flüssen stieg der mächtige DADA kam an der Strickleiter herab die Dichterschulen sind in den Kloaken davongeschwommen der grüne Kolben stößt aus meinem Kopf pfurzend und polternd HOHOHOHO ich bin der Anfang der Welt indem ich das Ende bin saht ihr je das Auto in einem Pyjama es ist hoch voller Frösche gepackt zerrt eine blaue Wolke hinter sich her an einem Drahtseil es saust durch die Zacken des monte maladetta und die jungen Spanierinnen winkten ihm zu mit ihrem Weisheitszahn der ist so groß wie die Insel Madagaskar und in ihm ist eine Avenue wo man die Bienen in ihrem sonntäglichen Putze lustwandeln sieht ich sage euch löscht die Sonne aus und laßt die Blindschleichen aus den Futteralen springen denn niemand solle die Nacht vor dem Morgen loben unverhofft sage ich euch kommen die lackierten Neger und schütten die

Bütten aus auf das Tulpenbeet in dem Bauch der kleinen Fische höre ich die Schreinerwerkstatt wer zweifelte da an dem Aufstieg des redenden Menschen der Herr hats gegeben der Herr hats genommen und doch kostet der Eintritt nur 50 centimes wer sieht nicht die Dickteufel wie sie ihre fuchsroten Haare fetten sie bellen aus ihren Achselhöhlen wenn der Berberhengst in die Kaffeekanne springt in dem Gehäuse ihres Leibs schnurrt eine Spindel wer zweifelte aber da an dem Aufstieg des redenden Menschen

HANS ARP

## Die Schwalbenhode

1.

weh unser guter kaspar ist tot
wer trägt nun die brennende fahne im zopf wer dreht die kaffeemühle
wer lockt das idyllische reh
auf dem meer verwirrte er die schiffe mit dem wörtchen parapluie und die winde nannte er bienenvater
weh weh weh unser guter kaspar ist tot heiliger bimbam kaspar ist tot
die heufische klappern in den glocken wenn man seinen vornamen ausspricht darum seufze ich weiter kaspar kaspar kaspar
warum bist du ein stern geworden oder eine kette aus wasser an einem heißen wirbelwind oder ein euter aus schwarzem licht oder ein durchsichtiger ziegel an der stöhnenden trommel des felsigen wesens
jetzt vertrocknen unsere scheitel und sohlen und die feen liegen halbverkohlt auf den scheiterhaufen

2.

jetzt donnert hinter der sonne
die schwarze kegelbahn und keiner zieht mehr die kompasse und die räder der schiebkarren auf
wer ißt nun mit der ratte am einsamen tisch wer verjagt den teufel wenn er die pferde verführen will wer erklärt uns die monogramme in den sternen
seine büste wird die kamine aller wahrhaft edlen menschen zieren doch das ist kein trost und schnupftabak für einen totenkopf

3.

auf den wasserkanzeln bewegten die kaskadeure ihre fähnchen wie figura 5 zeigt
die abenteurer mit falschen bärten und diamantenen hufen bestiegen vermittels aufgeblasener walfischhäute schneiend das podium
der große geisterlöwe harun al raschid sprich harung al radi gähnte dreimal und zeigte seine vom rauchen schwarz gewordenen zähne
die merzerisierten klapperschlangen wickelten sich von ihren spulen mähten ihr getreide und verschlossen es in steine
aus dem saum des todes traten die augen der jungen sterne
nach der geißelung auf der sonnenbacke tanzten die hufe des esels auf flaschenköpfen
die toten fielen wie flocken von den ledernen türmen
wieviel totengerippe drehten die räder der tore
als der wasserfall dreimal gekräht hatte erblich seine tapete bis auf das blut und die matrosenmatrize zersprang
aus der tiefe stiegen die schränke und breiteten ihre anker aus
endlich wagte das meer die ohnmacht der bittern kompasse
die glitzernden engel drehten sich in ihren angeln
die gläsernen eulen reichten sich den tod von schnabel zu schnabel
die vögel hingen ihre glasschweife wie wasserfälle aus den felsen
die bäuerinnen trugen ausgebrannte ausgestopfte sonnen in ihrem haar den bäuerinnen nur in ihren kröpfen nur in ihren nickhäuten nur in ihrer lieben kleinen stadt jerusalem wachspuppen auszusetzen erlaubt war

4.

die edelfrau pumpt feierlich wolken in säcke aus leder und stein
lautlos winden riesenkräne trillernde lerchen in den himmel
die sandtürme sind mit wattepuppen verstopft
in den schleusen stauen sich ammonshörner diskusse und mühlsteine
die schiffe heißen hans und grete und fahren ahnungslos weiter
der drache trägt die inschrift kunigundula und wird an der leine geführt
den städten sind die füße abgesägt
den kirchtürmen nur volle bewegungsfreiheit in den kellern gegeben
darum sind wir auch nicht verpflichtet die krallen hörner und wetterfahnen zu putzen

5.

obwohl der mond mir wie ein spiegel gegenüberhängt schmerzt mich der engel im auge
auf den tischen laufen die sämereien auf und pochst du an die pflanzen so springen ihre blumen hervor
die löwen verenden vor ihren schilderhäusern mit gießkannen voll diamanten zwischen den krallen
die führer tragen schürzen aus holz

die vögel tragen schuhe aus holz
die vögel sind voll widerhall
unaufhörlich rollen ihnen die eier aus ihren kleinen herzen
ihr scheitel trägt den himmelsmast
ihre sohlen stehen auf schreitenden flammen
reißt die schneekette so rufen sie den herrgott an
senkt sich das himmelsrad so treten ihre hufe auf schwarze körner

im januar schneit es graphit in das ziegenfell
im februar zeigt sich der strauß aus kreideweißem licht und weißen sternen
im märz balzt der würgengel und die ziegel und falter flattern fort
und die sterne schaukeln in ihren ringen
und die windfangblumen rasseln in ihren ketten
und die prinzessinnen singen in ihren nebeltöpfen
wer eilt auf kleinen fingern und flügeln den morgenwinden nach

Ich bin der große Derdiedas
Das rigorose Regiment
Der Ozonstengel prima Qua
Der anonyme Einprozent.

Das P. P. Tit. und auch die Po
Posaune ohne Mund und Loch
Das große Herkulesgeschirr
Der linke Fuß vom rechten Koch.

Ich bin der lange Lebenslang
Der zwölfte Sinn im Eierstock
Der insgesamte Augustin
Im lichten Cellulosenrock.

Der aufgeklappte Ohnegleich
Der garantierte Herr Herrje
Die edelweiße Wohlgeburt
Der vielgenannte Domine.

## Der poussierte Gast

1

Der Grünspanrüssel ragt herein
als Zeichen einer neuen Zeit.
Humorvoll sinkt durch einen Schlauch
das Großherz in die Ewigkeit.

Die Ewigkeit gehört mir nicht
und dennoch ist sie lang und breit.
Ein Riesenkopf aus bunter Luft
entschwebt dem Mund und ruft und schreit.

Wer schließt die Diözese ab
wer treibt den Kreisel durch die Glut
wer spannt die nassen Schirme auf
und ölt den Dampfmaschinenhut?

Die Augenbrauen fallen aus.
Die Apostolischen entfliehn.
Wer flüssig wird gehört mir nicht.
Er soll von meiner Seite ziehn.

2

Du schluckst die Flaschenpost hinab.
Das Wasser steigt das Haar gewellt.
Im ersten wie im dritten Fall
erkennt es dich und beißt und bellt.

Die Rechte zieht die Linke aus.
Die Zunge steigt hinauf und winkt.
Ins Bodenlose mit dem Kreuz
das fleischgewordne Wort versinkt.

Dann bläst der Schlackenolifant.
Die Fakultät zählt eins zwei drei.
Die Mignon die den Chignon trägt
übt sich in Rabulisterei.

Sie stößt aus ihrem kleinen Leib
zwölf gutverpackte Berge Kot
und schlägt die Bresche in das Licht
und schießt im Dunkeln mausetot.

3

Grabsteine trag ich auf dem Kopf
und wasserhaltig ist mein Leib.
Den alten Adam zieh ich aus
zwölfmal pro Tag zum Zeitvertreib.

Ich stecke bis zum Heft im Licht
und dennoch spring ich durch mein Maul
und trage Eulen nach Athen
und spanne mich vor meinen Gaul.

Lebwohl viel hund- und katzenmal.
Ich folge einem Zug der Zeit
inkognito mit Blei verglast
zum Spiritus der Heiterkeit.

Privaten Kampfer menge ich
mit dem Holundermark der Zeit
und klimm am Mast- und Segeldarm
endgültig in die Ewigkeit.

4

Das Imprimatur war verfrüht.
Er saß auf seinem Kopf und sang.
Er sang aus seinem Hinterteil
bis daß er um den Atem rang.

Er rollte um den Samentisch
und schloß die tausend Büchsen Rauch.
Die Zahlen machte er aus Lärm
mit einem Firmenschild im Bauch.

Er nahm sich an an Kindes Statt
und backte nach dem Goldnen Schnitt
sein blaues Porzellangehirn
zu windelweichem Versfußkitt.

Er hackte Kerben in sein Fleisch
weil er bei Nacht vergeßlich wär
der Endesunterzeichnete
mit dem Verwesungszirkular.

5

Ihr Gummihammer trifft das Meer
den schwarzen General hinab.
Mit Tressen putzen sie ihn auf
als fünftes Rad am Massengrab.

Mit den Gezeiten gelbgestreift
drapieren sie sein Firmament.
Die Epauletten mauern sie
aus Juni Juli und Zement.

Sie heben dann das Gruppenbild
vielgliedrig auf das Dadadach

und nageln A. B. Zehe dran
und numerieren jedes Fach.

Sie färben sich mit Wäscheblau
und ziehn als Flüsse aus dem Land
kandierte Früchte in dem Bauch
die Oriflamme in der Hand.

6

Symmetrisch kommen wir ans Licht.
Vielgliedrig turnen wir darin
den Kopf bekränzt mit Schnurr- und Bart.
Wir sind er ist du bist ich bin.

Das erstemal ins Kellerloch.
Wer kein Geländer hat fällt rein.
Das zweitemal zum zweitenmal
wozu wir plus und minus schrein.

Das Promenadenjahr vergeht
mit dem geschälten Mond im Schlag.
Leer fällt der Hammer von dem Stiel.
Dann kommt die Flasche an den Tag.

Dann strecken wir die Zungen raus
und schlafen wieder aus und ein
mit vielen Stimmen kunterbunt
vielfrüh wie Wolken unterm Stein.

7

Er schlägt die Eier aus der Frucht
mit einem Frucht- und Eierstock.
Der Fruchtstock schlägt die Kinderschar
als Segen aus dem Eierrock.

Er schlägt von oben drein und vier
in zwanzig Stellen Zahlomo.
Das Kind des Kindes ist ein Kind
ein schalenloser Piccolo.

Sie ziehen ihm die Fäden ab.
Wie eine Schote teilt es sich
und wieder findet man ein Kind
mit einem Kind im bessern Ich.

Dann schlägt das Wasser mit dem Stock
das Wasser ab und schlägt das Kind
mit seinem Frucht- und Eierstock
bis alle Kinder draußen sind.

8

Tagtäglich wie im zweiten Teil
nachtnächtlich wie auf Seite zwei
tagtäglich wie im dritten Teil
nachtnächtlich wie auf Seite drei.

Es ist jetzt Tag und Nacht genug
und jeder mit dem Hut bedeckt
grüßt seinen eignen Körperteil
indem er den vom andern leckt.

Dann steigt er in sein Wappenfaß
und schnallt den Sattel mit dem Licht
auf seinen emaillierten Kern
mitsamt dem Souvenirgewicht.

Er reicht sich fröhlich hinten rum
und schwenkt das Lot und löscht das Licht
und schnappt einmal und rollt davon
und ist schon dort und weiß es nicht.

Weltwunder sendet sofort karte hier ist ein teil vom schwein alle 12 teile zusammengesetzt flach aufgeklebt sollen die deutliche seitliche form eines ausschneidebogens ergeben staunend billig alles kauft
nr 2 der räuber effektvoller sicherheitsapparat nützlich und lustig aus hartholz mit knallvorrichtung
nr 2 die zwerge werden von ihren pflöcken gebunden sie öffnen die taubenschläge und donnerschläge
die töchter aus elysium und radium binden die rheinstrudel zu sträußen
die bäuerinnen tragen ausgebrannte ausgestopfte sonnen in ihrem haar den bäuerinnen nur in ihren kröpfen nur in ihren nickhäuten nur in ihrer lieben kleinen stadt jerusalem wachspuppen auszusetzen erlaubt ist
nr 6 obiger ausschneidebogen gratis
nr 2 einige frauen aus meinem lager um aufzuräumen
nr 4 staunend alles staunt aus dem herbarium steigt das von uns zusammengestellte crocrodarium farbig color
nr 4 system gebogen alles zusammen 5 franken
nr 2 die säge sägt jedes holz für schreiner praktisch es können rädchen und 4 ecken damit ausgesägt werden dauerhaft praktisch und vorteilhaft
ARP ist da keiner versäume es erstens ist es staunend billig und zweitens kostet es viel obwohl der okulierte bleivogel des regattentages mit tausend knoten schnelligkeit in die esse fuhr dies beunruhige die werften nicht

## te gri ro ro

te gri ro ro gri ti gloda sisi dül fejin iri
back back glü glodül ül irisi glü bü bü da da
ro ro gro dülhack bojin gri ti back
denn

berge mit eingebauten lärmapparaten
apportieren erzene schmetterlinge

irigri ro to gri gloda iridül gro bo gro
ro ro back ro ro back glodül dül irisi bojin
jin jin irisi sisi ro ro jin bü bü ro
denn
beeten eisiger monde
folgen lämmer in stählerner rüstung

gro bo gro gri gridül to te ti bü bü bo
to dül düljin sisi glo irisi ro ro gri sisi ti
back back bojin gloda sidül da da ro
denn
die sympathischen synthetischen menschen
sind halb so teuer als die landläufigen

glübübü glübebi ro ro ti dülback irisi gli glo
gri ro ro gri gloda sisi dülback dülback
ti ti ti ti gro bo ti ti bojin bojin
denn dennoch sandte er uns gruß und kuß
aus fernen giftigen nestern

## Die Wolkenpumpe

Auszug

lachende tiere schäumen aus eisernen kannen die wolkenwalzen drängen die tiere aus ihren kernen und steinen nackt stehen hufe auf steinalten steinen mäuschenstill bei zweigen und gräten geweihe spießen schneekugeln auf stühlen galoppieren könige in die berge und predigen das dezemberhorn laßt strohbrücken nieder bringt eisenbriefe lautlos und gut hörbar in der eisflasche gefrieren die turteltauben nie hat der er den schweißbrüchigen bergwald durch schwarz harz steigen empor und sind leise in feinen lufttreppen in stengeln in der eisernen rüstung des vogels dreht sich das kind über feuerroter troika noch die leichen der engel mit goldenen eggen geeggt noch die büsche mit brennenden vögeln getränkt noch auf wachsschlitten über das gärende sommereis gefahren noch vorhänge aus schwarzen fischen zugezogen noch in kleinen gläsern luft in die kastelle getragen noch vögel aus wasser gestrickt geschweige auf stelzen über die wolken auf säulen über die meere

niemand gewiß den vogellosen stein scharfer schwäne zerbrechen im münzenbürzel die toten gemolkene in schräggestelltem wind klingen der silbernen rippen der buckeligen nebst pfauen im arabischen mantel dies meckern der drachen kikeriki die fleißig schon stricken im lichtabgrund wie die eingebaute braut im holzsalat um die befiederten türme kalorienrocken windrosendrohnen aus der schote rollen die sieben sonnen passion riesenvogel tanzt donner auf der trommel wirft schattenzeiger ins porzellan wer hat die brunnen aufgeschlossen nun fließen die vögel aus den kühlen röhren erdketten ketten die wasserbetten

im januar schneit es graphit in das ziegenfell im februar zeigt sich der strauß aus kreide weißem licht und weißen sternen im märz balzt der würgengel und die ziegel und falter flattern fort und die sterne schaukeln in ihren ringen und die windfangblumen rasseln an ihren ketten und die prinzessinnen singen in ihren nebeltöpfen wer eilt auf kleinen fingern und flügeln den morgenwinden nach

roll nicht von deiner spule
sonst bricht dein backsteinzopf
sonst picken dir die winde
die flammen aus dem kropf

sonst fließt aus deinen röhren
der schwarze sternenfisch
und reißt mit seinen krallen
die erstgeburt vom tisch

im meer beginnt es langsam schwarz zu schneien
der euter läutet an dem wasserast
das rad der fische will sich pfeifen leihen
es schminkt sich haar und geht als trüber gast

die wasservögte ankern nach den toten sternen
im winde treibt der leuchtturm fort im sack
die bernsteintiere ziehen ungemolken in die fernen
gefolgt von leckem zwerg und kinderwrack

und nichts beschließt das pauken und das knallen
des meeres eifer und der schwämme schrei
der wind spitzt sich von neuem seine krallen
und hängt sich kapitäne ins geweih

der zwerge dünnes horn erschallt
der blitz will jede laus begatten
die harfe klirrt aus niet und spalt
die schiffe reiten auf den ratten

die luft gerinnt zu schwarzem stein
zermalmt wird schnabel braut und rose
es reißt der sterne ringelreihn
der zirkus stürzt ins bodenlose

TRISTAN TZARA

# Negerlieder

Aufgefunden und übersetzt von Tristan Tzara

## Zanzibar

o mam re de mi ky
wir sind den Wahha entgangen haha
die Wawinza werden uns nicht mehr plagen oh oh
Mionwu bekommt kein Tuch mehr von uns hy hy
und Kiala wird nimmer uns wiedersehen he he.

## Sotho-Neger

Gesang beim Bauen

a ee ea ee ea ee ee, ea ee, eaee, a ee
ea ee ee, ea ee,
ea, ee ee, ea ee ee,
Stangen des Hofes wir bauen für den Häuptling
wir bauen für den Häuptling.

## Ewhe

Gè-Dialekt

Gesang des Sängers Holonu-Adinyo in Anecho

Leopard voll Zecken nicht flieht er den Jäger
wir sind Schafmännliches welches Streit nicht meidet
Fetischpriester ruft: Bleibt nicht verborgen Jünger
Kuaku ruft euch zu: Adinyo nimmt es auf mit uns
Adigo-Stadt ist freilich städtisch das ist wahr
was jedoch ist euer darin

Zur Zeit da Alowohu kam und Hotuso kam
Freilich nach Anecho ginget ihr wohnen
euer Onkel Gbadoe stahl von den Franzosen
und sie nahmen Gbadoe banden taten ihn fesseln
sie schlugen Gbadoe daß er machte Kot

König Agbewe sie jagten euch aus Anecho
ihr ginget erschienet in Togo
Togo-Stadt sprach: Geschäft welches ihr bringet Hurerei
Kind und Mutter trugen sie auf dem Kopfe
sie gingen sie zu verkaufen
Togo-Stadt verjagte euch
ihr ginget fort erschienet in Glidyi
Klomas Peitsche ist lang eine Flinte ist sie eine Dänenflinte
ihr brachet nachts auf ihr ginget erschienet in Dyete
dort ginget ihr wohnen in Schweinestall
Hundesöhne Schweinesöhne ihr brachet auf
kommet esset Schweineträber

Leopard voll Zecken nicht flieht er den Jäger
wir sind Schafmännliches welches Streit nicht meidet
Fetischpriester ruft: Bleibt nicht verborgen Jünger
Kuaku ruft euch zu: Adynio nimmt es auf mit uns
Adigo-Stadt ist freilich städtisch das ist wahr
was jedoch ist euer darin

Suaheli

schaukeln iyo schaukeln
schaukeln iyo schaukeln
tu maassiti komm auf die Schaukel
setz dich und schaukele

wenn die Zeit der Hirse schaukelt
wollen wir die frische Hirse schaukeln
Hirse im Ort und schaukeln
vor Freude schaukeln

meine Mutter sagte mir verjage die Hühner
ich aber kann nicht fortjagen die Hühner
Hier sitze ich ohne Füße
und der Reis der Mutter wird von den Vögeln gefressen
isch isch

# Textbild

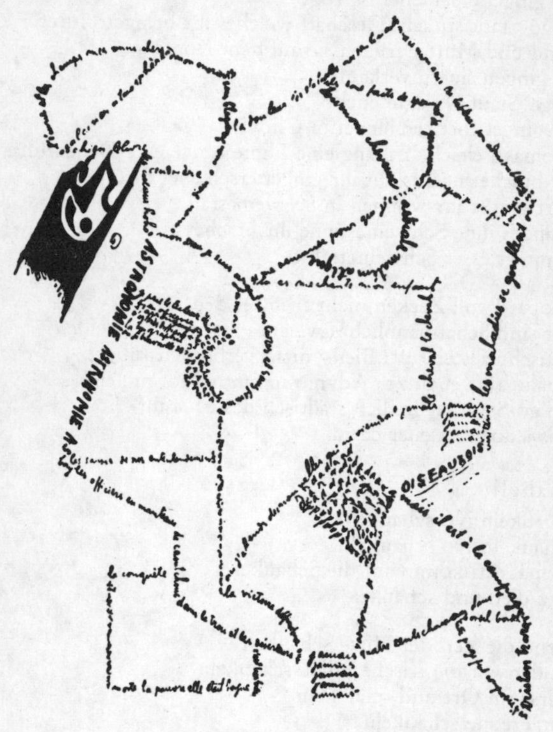


Tristan TZARA
(1916)

# Das erste und das zweite himmlische Abenteuer des Herrn Antipyrine

## Das erste himmlische Abenteuer des Herrn Antipyrine (Fragment)

DIE PARABEL:
Wenn man von einer alten Dame
Die Adresse eines Puffs erfragt

A A A A A A Amsel
Die singt auf dem Höcker des Kamels
Die grünen Elefanten deiner Sensibilität
Zittern jeder auf seinem Telegrafenmast
Alle vier Füße zusammengenagelt
Sie hat zuviel in die Sonne geguckt, so daß ihr Gesicht ganz
platt geworden ist
Uah aah uah aah uahaah
Der Herr Dichter hat einen neuen Strohhut
Der war so schön so schön so schön
Der ähnelt einem Heiligenschein
Denn tatsächlich: der Herr Dichter war ein Erzengel
Dieser Vogel ist gekommen weiß und fiebrig wie
Von welchem Regiment kommt die Wanduhr? Von dieser
Musik feucht wie
Herr Cricri bekommt Besuch von seiner Verlobten im Kran-
kenhaus
Auf dem jüdischen Friedhof erheben sich die Gräber wie
Schlangen
Herr Dichter war Erzengel: wirklich
Er sagte, daß der Drogist einem Schmetterling ähnelt und
dem Herrn und daß das Leben einfach ist wie ein
Bumbum wie das Bumbum seines Herzens
Die Frau aus schrumpfenden Ballonen begann zu schreien
wie eine Katastrophe

Aauuuuuuuuuuuuuu
Der Idealist hat zuviel in die Sonne geguckt, so daß sein Gesicht ganz platt geworden ist
Taratatatatatatata

HERR ANTIPYRINE:

Bei Ndumba bei Tritriloulo bei Nkogunlda
Gibt es einen großen Heiligenschein wo die Verswürmer durch die Stille sausen
Denn die Würmer und die anderen Tiere haben auch Kummer, Schmerzen und Einfälle
Schau die Fenster an die sich zusammenrollen wie Giraffen
Sich drehen, sechseckig vermehren, klettern schildkrötenkrumm
Der Mond bläst sich zum Beutel auf und wird Hund
Eine Lilie ist soeben in seinem Arschloch aufgeblüht
Das ist die Bergschafherde im Hemd in unserer Kirche die der Westbahnhof ist die Pferde haben sich in Bukarest aufgehängt indem sie Mbogo ansehen der auf seine Fahrräder steigt während die Telegrafenhaare sich betrinken
Ohren des Bauchredners überufern vier Schornsteinfeger die darauf platzen wie Melonen
Der Priesterphotograph ist mit drei Kindern niedergekommen die gekerbt sind wie Violinen auf dem Hügel stoßen Hosen ein Mondblätterkomödiant balanciert in meinem Schrank
Mein schönes Kind mit Brüsten aus Glas, mit parallelen Aschenarmen, bring meinen Bauch wieder in Ordnung wir müssen die Puppe verkaufen.
Ein übler Kerl ist irgendwo verreckt
Und wir lassen die Hirne weiterticken
Der Senf tropft aus einem fast zerfetzten Hirn
Die Maus wetzt diagonal über den Himmel
Wir sind Straßenlaternen geworden
Straßenlaternen

Straßenlaternen
Straßenlaternen
Straßenlaternen
Straßenlaternen
Straßenlaternen
Straßenlaternen
Straßenlaternen
Straßenlaternen
Dann hauen sie ab

## Das zweite himmlische Abenteuer des Herrn Antipyrine (Fragment)

DAS UNINTERESSIERTE HIRN:
Von Zitronade ohne Liebe aufgeblähter Pfiff
Aufwachen in der Kondensmilch
Treffen einen gelb-danke-atmen-Weiber-Fisch
Die Farbe der Opiumlaterne
Die Ohren der Fiedel
Die Stunde der Schnitte des Windauges
Trägt Bärte

FRAU UNTERBRECHUNG:
Nein ehh: mein Auge trägt auch Schnurrbärte

HERR AUFSAUG:
Geh raus durch eine Gummipumpe
Miß oder parfümiere
Oder zünde an denn ich bin immer möglich

HERR ANTIPYRINE:
Ich Ausfuhr

HERR SATURN:
Haben Sie Frösche in den Schuhen?

OHR:
b.b.b.b.b.b.b.b.b.b.

HERR AUFSAUG:
Die pferdigen Pinzetten
Gesättigte Straußgeschlechte

OHR:
Bezahlte Summe mit der Bestimmung Balbutia die Königin
Dekoration mit Blumen aus hartgewordenem Kasein
Die Umschläge zerfetzen
Vorbereiten auf dem Rennen der Rundköpfe die durchquerte Unwürdigkeit der Eisfelder
Aufwachen morgen festgebunden an beendeten Wenden
Memorandum
Bitteres und eventuelles Lächeln von mechanischem Korken
Flötenknochen
Richte aus
Die Flüssigkeit mit Lederornamenten
In einem Platzsack
Von wo der Neugeborene palmzitternd kommen wird
Ohne Karosserie sich müdverzweifelt erhob und langsam auf das Tor zuschritt
Schorfknopfig zerlegte Yacht
Zu Fuß
Beifall
Zu viel geblasen
Tick-tack verboten
Verloten
Angeknotet
Wenn nicht
Sehr sehr lieb
Prozession von Gendarmen in Flaschen
Regen- und Sonnenschirmen

*Deutsch von E. Kaemmerling und H. Villier*

## der seemann

er schläft mit einer frau die nur ein bein hat
wie ein ring so eng pondichery
man öffnet ihm den bauch da quietschen amulette
und socken kriechen raus und längliches getier
es sind qualmende funzeln in dir
ein sumpf aus blauem honig
ein kätzchen hockend im gold einer flämischen pinte
BUMM BUMM
biziklistengelb wie sand am meer
château neuf des papes
im vergleich mit dir ist manhattan eine kloake
umba umba bassama schlick
wie du rasend in mir zirkulierst
känguruhgehüpfe innereien des schiffs
warte! ich muß noch die eindrücke ordnen
ausflügler säumen wie spitzen das ufer
greif in die augenhöhlen daß die lichtgranaten explodieren
urubu sieht uns zu – geh zurück in den käfig sei vernünftig
urubu wurzelt im himmel aus orangenfarbenem geschwür
wo willst du hin
windmühlenzauber sturmfrisuren alle ankernden pyarger
haben schanker
EGG NOGG

*Deutsch von Oskar Pastior*

## frühlingszeit

für h arp

leg das kind ins mitternachtgeschirr
und auf den wunden punkt am grund
eine windrose mit deinen fingern den schönen klauen

schau den donner im gefieder
auf stillen wassern fließen antilope glieder

schmerzen unten habt ihr vogelmilch gefunden?
der durst der gallige pfau im käfig
langsam mumifiziert der könig der exile
am klaren brunnen im gemüsegarten
aussaat von brechstangenbohnen heuschreckengespinst
anbau von ameisenherzen salzbodennebeln am himmel zieht
    ein scheinwerfer seinen schweif
klirren wie glas im bauchfell fliehender hirsche
über spitzen schwarzer zweige kurzer aufschrei

*Deutsch von Oskar Pastior*

## glasklar ein sprung

für m ianco

über den nagel
eine nähmaschine oben in auflösung
die schwarzen stücke durcheinander
gelbes fließen sehen
dein herz ist ein aug mit ausziehbarem kasten
kleben an einer kette von augen
kleben von briefmarken auf deine augen

aufbruch pferde norwegen klammer
glitzer versfuß umdrehn trockenfön
willst weinen gehn?
leck dich empor zur stimme

abraham schößling im zirkus
in seinen knochen gärt tabak
abraham schößling im zirkus

pißt auf die knochen
die pferde drehn sie haben glühbirnen statt köpfen
höher höher höher
blauer erzbischof du eiserne fiedel
lockst pui pui pui
grünes
geziffer

*Deutsch von Oskar Pastior*

## kalenderblock

1.

ein fläschchen blütenrot mit siegellackflügeln
mein kalender hüpft tinktur astral der nicht zu helfen ist
schmilzt an der kerzenflamme meiner kapitalen faser
zum beispiel liebe ich die schreibtischutensilien
beim fischen nach den kleinen göttlichkeiten
aus denen die farben und faxen schlüpfen
fürs aromatische kapitel wo das alles ganz egal ist
wenn es bloß seele und muskel entspannt
vogel kralle

2.

fingernd grapschend schwankend wie ein auge
mahnt die flamme zuzupacken
hallo du da unter der decke
mittags spucken die geschäfte ihre angestellten
auf die straße die sie absaugt
straßenbahnsonette unterbrechen harsch den satz

3.

wünsche im wind klanggewölbe schlaflos brausend ein altar
stürzender gewässer
und plötzlich dieser absprung der vokale
in blicke die in die tiefe starren
begegnen überholen erleben begreifen
rufen nach menschen nach körpern leicht wie streichhölzer
durch brennende herbste ein beben und bäumen
erdöl und schweiß

4.

deine finger reiten kavalkaden auf den tasten
kannst du mir den ganzen großen schluckauf spielen?
ich bin auf dich gespannt wie eine hängebrücke
deren pfeiler unerschütterlich der brandung trotzen
in der ungewissen schwebe kalt wie eis jener entscheidung
die da ist plötzlich wenn die räder rucken
schau an mein herz der muskel öffnet sich und schreit

*Deutsch von Oskar Pastior*

## dada revue 2

für marcel janco

fünf negermädchen in einem automobil
sind mir durch die finger in 5 richtungen explodiert
wenn ich mich nun (gelegentlich) bekreuzige
schimmern feucht mir alte mondscheinvögel um den kopf
grüner heiligenschein um zerebrale ausflüchte
tralalalalalalalalala
wie er grad jetzt aus den granaten fetzt

da sehn wir einen jungen mann der seine lunge frißt
worauf er durchfall kriegt
worauf er leuchtend einen fahren läßt
und alle vogel sind schon da so geht das lied
so kommt der tod aus den kanonenrohren
hat es gefurzt so leuchtend hell ward mitternacht im ganzen
haus
der riesenvogelkäfig öffnet wie ein engel gleich sein buch
indessen hat man dir bereits, o frühlingszeit, im druck
die blätter aufgesetzt
schön über eine ganze seite
tsumbay tsumbay tsumbay di
euer design in meinen innereien
hat das gute wie das böse gefressen
doch allemal den fröhlichen general
denn nunmehr hab ich angst es nagen ratten an der kirche
ohne ihren diener ich war der fahnenträger seiner
majestät und es war seine majestät auf jeder fahne
sowie auf jeder majestät mein herz
mein herz ich gab's zum trinken hin
als trinkgeld ihr hihi

*Deutsch von Oskar Pastior*

## totale fahrt durch mond und farbe

für marcel janco

einmal wird das eiserne auge zu gold
die kompasse sind schon auf unserem trommelfell erblüht
herr janco seht geigt zum gebet
phantastisch
zwischen wendekreisen
den eiffelturm am klingelzug der sterne

pak pak oliven schwellen an und schießen
zu symmetrischen kristallen
überall zitronengelb
zusammen
die groschen die groschen
sonntage leuchtend umschmeicheln gott dada tanzt
teilt getreide aus nach allen seiten
regen
zeitungen
allmählich dann allmählich
richtung nord
gehn 5 meter lange schmetterlinge wie spiegel in splitter
wie feurige nächtliche ströme zur milchstraße hoch
leuchtende schleusen flatternde mähnen in wechselnden schauern
und fliegenden künstlichen lauben die in dir erwachen
wenn du denkst ich wittere
morgenlicht
kikeriki
die zellen weiten sich
brücken streben dehnen heben ab und schreien
strahlenbecher ordnen sich um die magnetpole
wie pfauenräder
nordlichttoll
und seht ihr die kaskaden? entfaltet aus sich selber
am nordpol wird ein riesenpfau langsam zum sonnenrad
am anderen pol hat man die nacht der schlangen schlingenden farben
gelbe quallen gleiten
glocken
hirne
aura aurora die roten sind in bewegung
bereits wenn ich frag wie
brüllen die gräben
gott meine geometrie

*Deutsch von Oskar Pastior*

## abrakadabrakadaver

aufgestanden unter kurbeln der akkordeone einer orchesterversion einer kalkulation eines langsam kränkelnden bodensatzes – welch rückständig starre gurgel und garage kluger paralleler peitschen und dann kavalkade abgeheftet unter einer akkolade

ein kriminalroman, künstliche nase zwecks rosiger verklärung der feiertage picknicktaschen regenmäntel luftballons an uferpromenaden schnuller abende im frühling, die maschinen sind im gang fürs große erwachen mein gott in der ausgeliehenen karambolage

eingetroffen aus kambodscha mit eigener bulldogge, abgereist um 5 uhr 5, kaltgemacht genau um mitternacht

die antenne zittert unterm lampenschirm, meteorologische hexenküche, eine bagage, stellare suppe im orkan ein feierliches glänzen

schrill verklärung c-dur propellerprojektionen weißer puder in der flasche ein garantiert prima schlüssel für alle schweren reisekoffer ich amüsiere mich im eisernen dreieck

etiketten in apotheken und liebesgeständnisse eines jungen mädchens: bitterkeit von wolkennähmaschinen und in einem glas wasser gelöschten sternen

die engel vom blauen ringelspiel ein hahn und ventil für die triebe

und das trommeln auf den lügen von halsketten handschellen hängeschlössern

*Deutsch von Oskar Pastior*

WALTER SERNER

## Manschette 7

(Romance)

Es ist nicht schwierig blond zu sein

Seit es in manchen Nächten
rote Ringe sprengt einher
ist jede Hoffnung auf den Sinn der Stunde
faul

Schau mir ins Auge
Krachmandel auf Halbmast
Cointreau triple sec mit Doppeltaxe
Jede Halswolke ein Fehlgriff
Jede Bauchfalte ein Vollbad
Jedes Hauptwort ein Rundreisebillett
Je te crache sur la tête
Schau mir ins Auge
A

Ist es so schwierig blond zu sein

## Manschette 9

(Elegie)

Sprich deutlicher

Ein gelber Spazierstock rutscht mir quer durchs Haupt
Es ist in allen Kellern
heller als in meinem Darm

Sprich deutlicher

Ich höre gerne den Hieb auf nackte Babyhintern
seit es dich entzuckte
wenn ich davon wirbelte bloß
O warum nicht sich langsam streicheln
Stiefelknechte still verzückt begrüßen
jenseits jeder bürgerlichen Küche

o sprich deutlicher

Mach platzen deinen feisten Dreckhügel
ob deinem Bauch
durch ein gewaltiges metaphysisches Rülpsen

## Manschette 5

(Epitaph postal)

Du hast die nassen Fetzen nie geliebt
Auf deinem Tische jede Semmel war ein Grund
Auf deiner Oberlippe schwang der letzte Rand
Du pfiffst Vokale aus wie stets an mir
An deinem Handgelenk hing alles heftig
Du warst Versand
Du gabst mich auf

## Bestes Pflaster auch roter Segen

Bodenbepurzelndes Geschirr:
gar so süss soffen Ninallas Lippen Pommery greno first.
Minkoff, ein ganz ein Russischer, déroutiert nebengeleisig.

Vorüberflappernder Handteller: benützter Busen bläht
Blondes.
Pauschal. Schal.
Schluck Wein (Länge: 63 centimètres) in rotverbesserte
Nüstern
gespien. Queen!!!
Weil ensembletapfer beflüstert Kuno feistes Postérieur.
Knäuel, dem sich schweissig Unterarm entzupft.
Vornübergewettert: Sibi schrie naturgemäss immens auf,
Hemigloben nach oben.
Derzeit brennendes Pedal berutscht entzückend anderwärts
gestreichelten
Bauch. Auch.
Unüberholt wischt seine lingua fettesten Schenkel einher,
Isidor.
O wie lieb ich das Gelichter des Lebens! (Abends, naturellement!)
Kruschewaz glotzt auf die ach so entfernten Deltafalten
Zuzzis.
Baynes Destiny (Massachusetts-allerholdest) quillt geigengeil um die Ecke;
Blech taumelt daraus schwierig empor:
schwachbeflorter Unterleib (? Gaby!) wogt taktvoll heran.
»Die Treue ist kein hohler Zahn« ... (Kreuzung von Kind
und Kegel)
Madame V. flicht, sehr gewiegt, Roger ein Glas in die
Finger;
quetscht das Ganze stuhlzusich.
Pferch. Überzwerch.
(Apropos: man substrahiere Geschlechtskrankheiten;
coitus würde allgemein beliebtes Gesellschaftsspiel;
wäre im Laden zu haben. Basta.)

## Das bessere Negerdorf mit Glasschuppen

voilà sagte der graf denn er sprach geläufig französisch das milchlied jese süße wundermild bricht der gischt aus dem darm der falben kuh und jetzt noch immer sind die weine blau der apis lok den stachel von der ziegelecke in diesem sinne sparen daß man die feuerwerkszigaretten nicht als cumulus verwendet stets noch haben mandrille zum frühstück geschwächt second robinet de douleur froide au music-hall auf den gekalkten hühnergittern kleben die kometenschwänze und das brot christian séance und der bleistift und das weitere doch schießen tannenrocken gegen die blechsterne und die wollknäuel zwischen kutschern astronomen und laternen steht es fest high-life-serpentinen die hahnenkämme werden rasiert und nach mitternacht bilden sich aus pfeifen die bäume an denen die streichholzschachtelfrüchte die abenteuer mit strohbärten beherbergen tabac aromatique et léger die kleinen gummibälle führen doch ein eigenes leben bald klappen sie das eine auge zu bald das andere auf die turnermütter klemmen die monokel ihren toten söhnen unter die achseln und singen it's a long way jusqu'au bout im stuhl sitzt arp mit einer käsemilbe auf dem schoß die trägt in den händen zwei minarette und senkt die kleinen anker gegen die nebel tzaras croix d'honneur und schräggestellte pupillen wachsen auf unregelmäßig geöffneten meterphilosophen und zentnermassen und da sitzt serner den spazierstock hinterm ohr und überhaupt wie gelernt diejenigen straßen der stadtteile rotfärbend poussez poussez in denen binnenlandschaften sich ernähren und müde ist er und wieder sitzt serner da magenweh im globus und denkt an jene leiter welche eins zu tausend typographisch auf tapeten the mistres schambärte und berge und arp sitzt da mit einem wischer vor der tunnelbraut le pantoufle voilà sagte er und dada sind serner und tzara ist da und meinte im hotel nebenbei könnte man zum beispiel die restbestandteile rubiners die der flieger white nicht aufarbeitete zu einer neuen vorspeise vorkitzeln als der lauf in seinem myrthenkranz am linken knie zu streusandwichtig sauste marque déposée

## Der serbische Olymp oder der schlecht ermordete Detektiv

kerze schämt sich auf dem alpenkamm
herzen brechen gong kanal und lamm
platon holt noch mit dem kirchturm aus
blatt und ei und regen singen rund
fastenfauna glänzt im toten fisch
dotterblau bestirnt der glast die laus
bärtig wachsen psalmen in den mund
und die loreley hält stundentisch
glastramway ist meteor und handschuh
für verliebte welche im juli die
ressentiments und andere monopolbarometeraffekte
als saldovortrag zu seinen gunsten buchen

## *Zeitungs-Bluff*

### Ein Aufsehen erregendes Duell

Aus Zürich wird uns unterm 2. Juli geschrieben: Gestern wurde auf der in der Nähe Zürichs gelegenen Rehalp zwischen Tristan TZARA, dem bekannten Gründer des Dadaismus, und dem dadaistischen Maler Hans ARP ein Pistolenduell ausgetragen. Es fand viermaliger Kugelwechsel statt. Beim vierten Gang erhielt Arp einen leichten Streifschuß am linken Oberschenkel, worauf die beiden Gegner unversöhnt den Kampfplatz verließen. Als Zeugen fungierten für Herrn

Tzara die Herren Dr. Walter SERNER und J. C. HEER, für Herrn Arp die Herren Otto KOKOSCHKA und Francis PICABIA, der eigens aus Paris nach Zürich kam. Wie wir erfahren, hat die Zürcher Staatsanwaltschaft bereits gegen alle an dieser Duellaffaire Beteiligte die Untersuchung eingeleitet, auf deren Ergebnis die Öffentlichkeit mit Recht sehr gespannt sein darf.

H. K.

[*St. Galler Tagblatt*, Nr. 155, 5. 7. 1919.]

## Dementi

Herr J. C. HEER schreibt uns, daß die durch die Schweizer Presse gehende, auch uns aus Zürich zugesandte Meldung, er sei als Zeuge in dem DADAISTEN-DUELL auf der Rehalp bei Zürich beteiligt gewesen und auch in die Untersuchung verwickelt worden, UNRICHTIG sei. Herr J. C. Heer versichert, an der Nachricht sei, soweit sie ihn betreffe, kein wahres Wort; mit den Dadaisten unterhält unser beliebter Schriftsteller keine Beziehungen. Wir freuen uns ob dieser Versicherung und dementieren die eingangs erwähnte irrtümliche Nachricht mit Vergnügen. Um Nachdruck des Dementis wird gebeten.

Das Dadaisten-Duell scheint übrigens, wie uns von befreundeter Seite aus Zürich geschrieben wird, harmlos verlaufen zu sein. »Die beiden unversöhnlichen Gegner ARP und TZARA, die mit Kugeln aneinander vorbeischossen, sitzen wieder friedlich im Odeon nebeneinander.« Man wird vielleicht in der in Verrücktheit sich wie toll gebärdenden Zeitschrift »Der Dada« – dieses Blatt muß man gesehen haben! – über das Duell einen Bericht des Oberdada lesen können.

[*St. Galler Tagblatt*, Nr. 158, 9. 7. 1919.]

## Ein Aufsehen erregendes Duell

Herr Tristan Tzara in Zürich und Kons. schreiben uns: Wir wären Ihnen sehr verbunden, wenn Sie in Ihrem geschätzten Blatte möglichst rasch richtigstellen wollten, daß die in Ihrer Nummer 307 vom 8. Juli unter dem Titel »Ein Aufsehen erregendes Duell« veröffentlichte Nachricht ZUR GÄNZE ERFUNDEN IST. Es kann sich hier nur um die boshafte Lausbuberei eines Übelwollenden handeln.

[*Basler Nachrichten*, Nr. 310, 10. 7. 1919.]

## Erklärung

Wir erhalten folgende Zuschrift:
Trotz verschiedenen Verwahrungen meinerseits geht durch die in- und ausländische Presse stets noch die für mich ehrenrührige Notiz, ich sei als Zeuge in einem DADAISTISCHEN DUELL auf Rehalp-Zürich beteiligt gewesen und stehe deshalb in strafrichterlicher Untersuchung. Wenn auch die »N. Z. Z.« mit Fug und Recht die Nachricht nicht gebracht hat, darf ich doch wohl ihre Güte in Anspruch nehmen, um dem Duellmärchen endgültig ein Ende zu bereiten. Ich stehe dem Dadaismus völlig fern und kümmere mich gewiß nicht um Zweikämpfe mir durchaus fremder Herren. Es liegt daher auch keine Strafuntersuchung gegen mich vor.
Rüschlikon, an meinem 60. Geburtstag. J. C. Heer

[*Neue Zürcher Zeitung*, Nr. 1075, 20. 7. 1919.]

HUGO BALL u. a.

# Ein Krippenspiel

Bruitistisch

## *I. Stille Nacht.*

| | |
|---|---|
| Der Wind: | f f f f f f f f f fff f ffff t t |
| Ton der heiligen Nacht: | hmmmmmmmmmmmmmmmmmmmmmmmmmmmmmmmmmm |
| Die Hirten: | He hollah, he hollal, he hollah. |
| | Nebelhörner. Okarina. — crescendo. (Steigen auf einen Berg) Peitschenknallen, Hufe. |
| Der Wind: | f f f f f f f f f f ffffffffffffffffffffffffffffff t. |

## *II. Der Stall.*

| | |
|---|---|
| Esel: | ia, ia, ia, ia, ia, ia, ia, ia, ia, ia, ia, ia, ia, |
| Öchslein: | muh muh muh muh muhm muh muh muh muh muh muh muh |
| | (Stampfen, Strohgeräusch, Kettenrasseln, Stoßen, Käuen) |
| Schaf: | bäh, bäh, bäh, bäh, bäh, bäh, bäh, bäh, |
| Josef und Maria (betend): | ramba ramba ramba ramba ramba - m-bara, m-bara, m-bara, -bara- ramba bamba, bamba, rambababababa |

## *III. Die Erscheinung des Engels und des Sterns.*

| | |
|---|---|
| Der Stern: | Zcke, zcke, zcke, zzccke, zzzzzcke, zzzzzzzzcccccccke, zcke psch, zcke ptsch, zcke ptsch, zcke ptsch. |
| Der Engel: | (Propellergeräusch, leise anschwellend, tremolierend, bis zu erheblicher Stärke, energisch, dämonisch) |
| Ankunft: | (Zischen, Zerplatzen, Bündel von Licht in Geräuschen) |
| Lichtapparat: | flutet weiß weiß weiß weiß weiß. |
| Fallen aller Mitwirkenden: | erst auf die Ellbogen, dann auf die Fäuste. So, daß zwei Geräusche entstehen, die zusammenhängen. |
| Plötzliche Stille: | - - - - - - - - - - - - - - - - - - - - - |

## *IV. Die Verkündigung.*

Geräusch der Litanei: do da do da do da do da dorum darum dorum
do da do, dorum darum, dorum, darum, do da do, do, dooo.
Tutti: Muhen, Iaen, Ketten, Schalmeien, Gebet, Stern, Schaf, Wind,
Stilisiertes Lachen: H a ha. haha. haha. haha. haha. haha. haha. haha.
Steigerung bis zum höchsten Lärm. Tanz nach gepfiffener Melodie
Der Engel: Dorum darum dorum darum, dorum darum,
dododododododododoooo (das Ende des »doooooooo« sehr schmerzlich und bedauernd)

## *V. Die heiligen drei Könige.*

Der Stern: Zcke zcke ptsch, zcke zcke zcke zcke zcke ptsch! zcke zcke ptsch! ptschptschptschptsch. zcke zcke ptsch ptch ptsch.
Die Karawane der drei Könige: Puhrrrrr puhrrrr (Schnauben der Pferde, Trampeln der Kamele).
Die drei Könige: rabata, rabata, bim bam. rabta rabata, bim bam ba, rabata rabata rabta, rabata bim bam. bim bam. bim bam.
Glöckchen der Elefanten: Bim bim bim bim bim bim bim bim bim
*Flöten*
Trompete: Tataaaaaaaaaaaa! tataaaaaaaaaaaaaaa!
Schnauben der Pferde: Puhrrrrr, puhrrrrrrrr, puhrrrrrrr.
Wiehern der Pferde: Wihihihihih, Wihihihihi, Wihihihihih.
Kacken der Kamele: Klatschen der Hände mit sehr hohler Fläche.
Der Stern: Zcke zcke zcke ptsch!

## *VI. Ankunft am Stalle.*

Eine Kerze leuchtet auf. (Der Saal war vorher verdunkelt. Man sieht jetzt die Orchestermitglieder. Sie haben schwarze Tücher umgeschlungen, so daß ihre Gestalt verschwindet. Sie sitzen außerdem mit dem Rücken gegen das Publikum)
Josef: Bonsoir, messieurs. Bonsoir messieurs. Bonsoir messieurs.
Esel und Öchslein: Ia ia ia ia ia ia ia ia, muh muh muh muh muh muh
Geräusche von Kupfergeräten, Klappern von Kannen, Stoff-, Taft-Geräusche, Gläsertöne, Schöpfen, Rieseln, Schlüsselgeräusche
Josef: Parlez-vous francais, messieurs? Parlez-vous, francais, messieurs?
Die heiligen drei Könige: Ah, eh, ih, ohm, uh ah, eh ih, oh, uh!
aih, auhh, euhhh, eh ih, oh uhhhh! Ahhhhhhhhhhhhhhhh!

Maria (pfeifend): Schlaf Kindlein schlaf! Schlaf Kindlein schlaf! Schlaf Kindlein schlaf! Schlaf kindlein Schlaf!
Josef: kt, kt kt potz! kt kt kt kt Potz! kt kt kt kt potz!
Jesus: schmatzend schmatzend schmatzend schmatzend schmatzend.

## *VII. Die Prophezeiung.*

Plötzliche Hammerschläge. Nageln. Rattern. Klappern.
Zurufe der Knechte: He hollah! he hollah! he hollah! *Zymbeln.*
Pfeifen, Johlen, Volksmenge, Bellen.
Die Pharisäer: Rabata, rabata, rabata, rabata, sallada, salada, sallada, sallada, sallada, sallada, sallada, rabata bumm, rabata bumm, rabata bumm, rabata bumm.
Die heiligen drei Könige: oh oho oh oh oh oh oh oh oh oh oh oh (sehr schmerzlich)
Esel und Öchslein (sehr schmerzlich): Muh iahh, muhhhhh, jahhhhh, muhhh
Lamm: bähhhhhhh, bähhhhhhhhh, bähhhhhhhhhhhhhhhhhhhhhhhhhhhh!
Klagelaute der Maria: Ahhhhhhhhh,ahhhhhhhhh,ahhhhhhhhhhhhhhhhh!
Glocken und Glöckchen: Bim bam bum, bim bam, bum, bim bam, bum. Gong gong.
Nageln: ——————————————

*Und da er ward gekreuzigt*
*Da floß viel warmes Blut.*

# Krippenspiel

## I.

Und es waren Hirten in derselbigen Gegend auf dem Felde bei ihren Hürden. Die hüteten des nachts die Herde. (Wind und Nacht. Ton der Nacht. Signale der Hirten.) (Tzara: kleine Laute. Peitschenknallen.)

II.

Maria aber und Josef lagen im Stalle zu Bethlehem auf den Knieen und beteten zum Herrn. (Während Ball und Janco beten, diesen Text wiederholen.) (Schalk: muh, Schlüssel. Arp: bäh. Strohgeräusch.)

III.

Am Himmel aber leuchtete der hellste Stern über dem Stalle von Bethlehem. Und siehe der Engel des Herrn machte sich auf und erschien den Hirten. Und die Klarheit des Herrn leuchtete um sie. Und sie fürchteten sich sehr. (Stern, Brausen des Engels, ganz stark, dann Cymbel. Lichtapparat und Fallen.) (Janco.) Pause.

IV.

Und der Engel sprach zu ihnen: fürchtet euch nicht, denn siehe: ich verkündige euch eine große Freude, die allem Volk widerfahren wird. Denn euch ist heute der Heiland geboren, welcher ist Christus, der Herr.
(Do da do des Erzengels, dann Freude tutti. Steigerung. Crescendo. Dann: do da do doooooo des Engels.)

V.

Und die Weisen aus dem Morgenlande machten sich auf mit ihrer Karawane, mit Kamelen, Pferden und Elefanten, die reich mit Schätzen beladen waren, und der Stern führte sie.
(Stern, Wiehern und Schnauben der Pferde, Gang der Elefanten, Sprechen der Könige, Trompete. (Tzara; Arp), Glöckchen. Der Stern. Alles schwellend und abschwellend.)

VI.

Und sie fanden den Stall und Josef begrüßte sie. (Bon soir, messieurs.) (Rabata rabata. Muh. Bäh.) Aber Josef verstand ihre Sprache nicht. (rabata, rabata.) Tzara: o mon dieu, o mon dieu.) (Schlaflied Emmy, Ah eh Tzara, ih oh der Könige. Dann ah eh ih verstummend. Nur noch Gesang der Maria, Laute. Schmatzen des Säuglings und Beten: ramba rambaramba.) Pause.

VII.

Maria aber bewegte all diese Worte in ihrem Herzen. Und sie sah einen Berg und drei Kreuze aufgerichtet. Und sah ihren Sohn verspottet und mit einer Dornenkrone gekrönt. Und sie kreuzigten ihn. Aber sie wußte, daß er am dritten Tage wieder auferstehen werde, verklärt. (Johlen der Menge.) Rabata rabata (Janco), Tzara: Pfeifen. Ball: He hollah! Nageln. Schalk: Klappern. Arp: bäh bäh. Rabata Rabata, sallada. (Crescendo) Nageln und Schreien. Dann Donner. Dann Glocken.

RICHARD HUELSENBECK · MARCEL JANCO · TRISTAN TZARA

# L'amiral cherche

## Poème simultan par R. Huelsenbeck, M. Janko, Tr. Tzara

| | |
|---|---|
| HUELSENBECK | Ahoi ahoi Des Admirals gwirktes Beinkleid schnell |
| JANKO, chant | Where the honny suckle wine twines ilself |
| TZARA | Boum boum boum Il déshabilla sa chair quand les grenouilles |

| | |
|---|---|
| HUELSENBECK | und der Conciergenbäuche Klapperschlangengrün sind milde ach |
| JANKO, chant | can hear the weopour will arround arround the hill |
| TZARA | serpent à Bucarest on dépendra mes amis dorénavant et |

| | |
|---|---|
| HUELSENBECK | prrrza chrrrza prrrza Wer suchet dem wird |
| JANKO, chant | mine admirabily confortabily Grandmother said |
| TZARA | Dimanche: deux éléphants |

**Intermède rythmique**

| | |
|---|---|
| HUELSENBECK | hihi Yabomm hihi Yabomm hihi hihi hihiiiii |
| | *ff* *p* *cresc* *ff* *cresc* *ff* *f* |
| TZARA | rouge bleu rouge bleu rouge bleu rouge bleu rouge bleu |
| | *p* *f* *cresc* *ff* *cresc* *fff* |
| SIFFLET (Janko) | ——. ———. —. ––. ———.. . – . |
| | *p* *cresc* *f* *ff* *fff* |
| CLIQUETTE (TZ) | rrrrrrrrrr rrrrrrrrrr rrrrrrrrrr rrrrrrrrrr rrrrrrrrrr rrrrrrrrrr |
| | *f* *decrsc* *f* *cresc* *fff* *uniform* |
| GROSSE CAISE (Huels.) | O O O O O O O O O O O O O O O O O O O O |
| | *ff* *p* *f* *fff* *p* |

| | |
|---|---|
| HUELSENBECK | im Kloset zumeistens was er nötig hätt ahoi iuché ahoi iuché |
| JANKO (chant) | I love the ladies I love to be among the girls |
| TZARA | la concièrge qui m'a trompé elle a vendu l'appartement que j'avais loué |

| | |
|---|---|
| HUELSENBECK | hätt' O süss gequollnes Stelldichein des Admirals im Abendschein uru uru |
| JANKO (chant) | o'clock and tea is set I like to have my tea with some brunet shai shai |
| TZARA | Le train traîne la fumée comme la fuite de l'animal blessé aux |

| | |
|---|---|
| HUELSENBECK | Der Affe brüllt die Seekuh bellt im Lindenbaum der Schräg zerschellt tara- |
| JANKO (chant) | doing it doing it see that ragtime coupple over there see |
| TZARA | Autour du phare tourne l'auréole des oiseaux bleuillis en moitiés de lumière vis |

| | |
|---|---|
| HUELSENBECK | Peitschen um die Lenden Im Schlafsack gröhlt der |
| JANKO (chant) | oh yes yes yes yes yes yes yes yes yes |
| TZARA | cher c'est si difficile La rue s'enfuit avec mon bagage à traves la ville Un métro mèle |

---

*NOTE POUR LES BOURGEOIS*

Les essays sur la transmutation des objets et des couleurs des premiers peintres cubistes (1907) Picasso, Braque, Picabia, Duchamp-Villon, Delaunay, suscitaient l'envie d'appliquer en poésie les mêmes principes simultans.

Villiers de l'Isle Adam eût des intentions pareilles dans le théâtre, où l'on remarque les tendances vers un simultanéisme schématique; Mallarmé essaya une reforme typographique dans son poème: Un coup de dés n'abolira jamais le hazard; Marinetti qui popularisa cette subordination par ses „Paroles en liberté"; les intentions de Blaise Cendrars et de Jules Romains, dernièrement, ammenèrent Mr Apollinaire aux idées qu'il développa en 1912 au „Sturm" dans une conférence.

Mais l'idée première, en son essence, fut exteriorisée par Mr H. Barzun dans un livre théoretique „Voix, Rythmes et chants Simultanés" où il cherchait une rélation plus étroite entre la symphonie polirythmique et le poème. Il opposait aux principes succesifs de la poésie lyrique une idée vaste et parallèle. Mais les intentions de compliquer en profondeur cette t e c h n i q u e (avec le Drame Universel) en éxagerant sa valeur au point de lui donner une idéologie nouvelle et de la cloîtrer dans l'exclusivisme d'une école, — echouèrent.

# une maison à louer

zerfällt Teerpappe macht Rawagen in der Nacht
arround the door a swetheart mine is waiting patiently for me I
humides commancèrent à bruler j'ai mis le cheval dans l'âme du

verzerrt in der Natur chrza prrrza chrrrza
my great room is
c'est très intéressant les griffes des morsures équatoriales

aufgetan Der Ceylonlöwe ist kein Schwan Wer Wasser braucht find
I love the ladies
Journal de Genève au restaurant Le télégraphiste assassine

Find was er nötig
And when it's five
Dans l'église après la messe le pêcheur dit à la comtesse: Adieu Mathilde

uro uru uru uro uru uru uru uro pataclan patablan pataplan uri uri uro
shai shai shai shai shai shai Every body is doing it doing it doing it Every body is
intestins écrasés

tata taratata tatatata In Joschiwara dröhnt der Brand und knallt mit schnellen
that throw there shoulders in the air She said the raising her heart oh dwelling oh
sant la distance des batteaux Tandis que les archanges chient et les oiseaux tombent Oh! mon

alte Oberpriester und zeigt der Schenkel volle Tastatur L'Amiral n'a rien trouvé
yes oh yes oh yes oh yes oh yes yes yes oh yes sir L'Amiral n'a rien trouvé
son cinéma la prore de je vous adore était au casino du sycomore L'Amiral n'a rien trouvé

---

En même temps Mr Apollinaire essayait un nouveau genre de poème visuel, qui est plus intéressant encore par son manque de système et par sa fantaisie tourmentée. Il accentue les images centrales, typographiquement, et donne la possibilité de commancer à lire un poème de tous les côtés à la fois. Les poèmes de Mrs Barzun et Divoire sont purement formels. Ils cherchent ùn éffort musical, qu'on peut imaginer en faisant les mêmes abstractions que sur une partiture d'orchestre.

* *

Je voulais réaliser un poème basé sur d'autres principes. Qui consistent dans la possibilité que je donne à chaque écoutant de lier les associations convenables. Il retient les éléments caractéristiques pour sa personalité, les entremêle, les fragmente etc, restant tout-de-même dans la direction que l'auteur a canalisé.

Le poème que j'ai arrangé (avec Huelsenbeck et Janko) ne donne pas une description musicale. mais tente à individualiser l'impression du poème simultan auquel nous donnons par là une nouvelle portée.

La lecture parallèle que nous avons fait le 31 mars 1916, Huelsenbeck, Janko et moi, était la première réalisation scénique de cette estéthique moderne.

TRISTAN TZARA

RICHARD HUELSENBECK · TRISTAN TZARA

# Dialogue entre un cocher et une alouette

Huelsenbeck (cocher): Hüho hüho. Ich grüße Dich, o Lerche.

Tzara (alouette): Bonjour Mr Huelsenbeck!

Huelsenbeck (cocher): Was sagt mir Dein Gesang von der Zeitschrift Dada?

Tzara (alouette): Aha aha aha aha (f.) aha aha (decrsc.) cri cri

Huelsenbeck (cocher): Eine Kuh? Ein Pferd? Eine Straßenreinigungsmaschine? Ein Piano?

Tzara (alouette): Le hérisson céleste s'est effondré dans la terre qui cracha sa boue intérieure je tourne auréole des continents je tourne je tourne consolateur.

Huelsenbeck (cocher): Der Himmel springt in Baumwollfetzen auf. Die Bäume gehen mit geschwollenen Bäuchen um.

Tzara (alouette): Parce que le premier numéro de la Revue Dada paraît le 1 août 1916. Prix: 1 fr. Rédaction et administration: Spiegelgasse 1, Zürich; elle n'a aucune relation avec la guerre et tente une activité moderne internationale hi hi hi hi.

Huelsenbeck (cocher): O ja, ich sah – Dada kam aus dem Leib eines Pferds als Blumenkorb. Dada platzte als Eiterbeule aus dem Schornstein eines Wolkenkratzers, o ja, ich sah Dada – als Embryo der violetten Krokodile flog Zinnoberschwanz.

Tzara (alouette): Ça sent mauvais et je m'en vais dans le bleu sonore antipyrine j'entends l'appel liquide des hippopotames.

Huelsenbeck (cocher): Olululu Olululu Dada ist groß Dada ist schön. Olululu pette pette pette pette pette . . .

Tzara (alouette): Pourquoi est-ce-que vous pettez avec tant d'enthousiasme?

Huelsenbeck (ein Buch des Dichters Däubler aus der Tasche ziehend): pfffft pette pfffft pette pfffft pette pfffft pette ...

O Tzara o!
O Embryo!
O Haupt voll Blut und Wunden.
Dein Bauchhaar brüllt –
Dein Steißbein quillt –
Und ist mit Stroh umwunden ...
Oo Oo Du bist doch sonst nicht so!

Tzara (alouette):

O Huelsenbeck, O Huelsenbeck
Quelle fleur tenez-vous dans le bec?
C'est votre talent qu'on dit excellent
Actuellement caca d'alouette
Quelle fleur tenez-vous dans le bec?
Et vous faites toujours: pette
Comme un poète allemand

HANS ARP · WALTER SERNER · TRISTAN TZARA

# Die Hyperbel vom Krokodilcoiffeur und dem Spazierstock

das elmsfeuer rast um die bärte der wiedertäufer
sie holen aus ihren warzen die zechenlampen
und stecken ihre steiße in die pfützen
er sang ein nagelknödel auf treibeis
und pfiff sie so hold um die ecke das lotterliche
daß ein gußgitter glitschte
4 eugens auf tour skandinavien millovitsch blaue kiste
ist bombenerfolg
zwischen dem haarrahm des kanaltrotters
erstiefelte der saumseligste zeisig den breipfahl
eines buttersackes im zinngefieder
schreckensfahrt an steiler wand
der gute vater senket
ins haupt den tomahawk
die mutter ruft vollendet
zum letzten mal ihr quak
die kinder ziehen reigend
hinein ins abendrot
der vater steigt verneigend
in ein kanonenboot
auf dem marmeladengürtel turnen
hinein ins abendbrot
glitzerblöde affenbolde
wiener hintere zollamtsvokabeln voll grauslichkeit
der zirkusfeindliche kiel
hänge das profil
im internationalen kanäle
abendmahlmarschäl[l]e
quartettmephistophele
skandierskandäle

## Rattaplasma

horoscope satanique se dilate sous ta vigueur
vigilance de virgile vérifie le vent virile
schlagbäume schlagen riesenwirbel
wappenmühle brennt am grätenviadukt
der samenräuber äst in flitzender kammerkruste
und grünt die laiber verrosteter dromedare zur gänze
ruf den gefrästen zwerg aus dem spiegel
er wirft mit seinem löffel zwei sonnen in den tiegel
concert vocal   musique météorologique
subtil animal la clé du vertige
ratterkasten im schenkelloch verstürzt
das hammellachen der halsmandeln
großartig und hingebungsvoll
rippende ritter erbrechen die traumsiegel

## Der automatische Gascogner

kürbisbäuche auf hinterländern flachgroße hühner entfliehen in die maelströme die tempel aus amberfleisch bebrüten den steinsimson in der gießkanne von unten wahrscheinlich stören die wasserleitungen unter den sauherden den naebelvirtuosen der mit dem getreidesieb die entfernung von seiner nurse mißt wer erfindet ein mittel gegen ebbe und flut und billige embryos absolut praktische zeitungshalter solche fehlen trotz der verschiedenen systeme immer noch zwischen den zitzen eine reinigungsmaschine für schaufenster und dämmerung zwischen den anderen eine fischräucherei modell auf einer freske in pompei und obendrein den sogenannten juxartikel

## Montgolfier Institut für Schönheitspflege*

minuit définitif
accolade des coucous
progression des coucous
cacadou oxygéné
daumenhalt auf mist
riechbohne singt
schmierkringel ist
drutfrau beringt
vivisection géométrique des laryngites saturnales
robinson sur mer camouflée
journal amer pour lire à la chandelle
l'amour en profil le cœur sous le lit écoute
auf kissen kosen die zwerge die kassen
und belecken die blumen
wessen fleisch gehört noch hierher
wessen hut grüßt noch diese wehmutsanstalt
er rief das luder an
des besenstielknopf kann
den giftkoch anton nicht betören
und eine nieswurz glotzt
wie ein bonbonmalheur
sehr
herzleiden massieren den lasziven rosenknochen

* für tropische länder plakate ausgeschlossen

# Anhang

# Textnachweise und Anmerkungen

Die Texte der vorliegenden Ausgabe folgen jeweils den nachgewiesenen Druckvorlagen. Orthographie und Interpunktion wurden weitestgehend beibehalten; das gilt vor allem für eigentümliche Schreibweisen, soweit sie sprachgeschichtlich zu rechtfertigen sind (z. B. »Incest«, »lanzieren«, »Diarrhoe«). Lediglich deutlich fehlerhafte Schreibungen (z. B. »paraleller«, »Crysantemen«) sowie offensichtliche Druckversehen wurden stillschweigend korrigiert. Normalisiert wurde (außer in den Texten von Walter Serner) auch in den Fällen, wo *ss* für *ß* und *Ae*, *Oe*, *Ue* für *Ä*, *Ö*, *Ü* standen. Die Auszeichnung durch Kursive, Sperrung, Halbfette und Versalien bzw. Kapitälchen wurde weitgehend nachgebildet.

## HUGO BALL

Die Flucht aus der Zeit (Auszüge) . . . . . . . . . . . . . . . 7

Hugo Ball: Die Flucht aus der Zeit. Hrsg. von Bernhard Echte. Zürich: Limmat Verlag, 1992. S. 79–82, 84–88, 90–92, 95–102, 105 f., 146–150, 154, 167. – © 1992 Limmat Verlag, Zürich.

Im Todesjahr des Verfassers publiziert, der sich bereits 1917 von der Dada-Bewegung abgewandt hatte, zum Katholizismus konvertierte und sich 1920 – bereits erkrankt – ins Tessin zurückzog, stellt das Tagebuch wohl das interessanteste biographische Dokument zu Dada Zürich dar; die Auszüge, die sich im engeren Sinne auf die Züricher Dadaisten-Gruppe und das *Cabaret Voltaire* beziehen, stellen etwa ein Fünftel der einschlägigen Eintragungen dar.

*Annemarie:* die 1906 geborene Tochter von Emmy Hennings.
*Barzun:* Henri B. (geb. 1881, Todesjahr unbekannt), französischer Autor von Lautgedichten.
*Baumann:* Fritz B. (geb. 1886, gest. vermutl. 1943), expressionistischer Maler, Mitarbeiter des *Sturm*.
*Blague:* (frz.) Prahlerei.
*Bölsche:* Wilhelm B. (1861–1939), deutscher Schriftsteller, Verfasser populärwissenschaftlicher Werke.

*Bolschewismus:* durch Lenin geprägte, revolutionäre Richtung innerhalb des russischen Sozialismus.
*Brupbacher:* Fritz B. (1874–1945), schweizerischer Psychiater, Arbeiterarzt, Mitbegründer der Zeitschrift *Der Revoluzzer.*
*Buffonade:* Posse, Schwank.
*»Candide«: Candide oder die beste aller Welten*, satirischer Roman von Voltaire (1758).
*Carus Sterne:* Näheres nicht zu ermitteln.
*»Cauchemar«:* (frz.) Alptraum.
*Clauser:* Friedrich Glauser (1896–1938), Gelegenheitsarbeiter und Schriftsteller, Fremdenlegionär; Randfigur von Dada Zürich.
*Divoire:* Fernand D. (geb. 1883, Todesjahr unbekannt), französischer Autor von Lautgedichten.
*donquichottisch:* auf komische Weise verblendet; nach dem Roman *Don Quijote* von Miguel de Cervantes (1605/15).
*düpieren:* vor den Kopf stoßen.
*Ephraim:* Jean Zechiel E. (geb. 1871, Todesjahr unbekannt), der niederländische Wirt des Züricher *Cabaret Voltaire.*
*Femgericht:* mittelalterliches (Geheim-)Gericht.
*Frank:* die Frau des deutschen Schriftstellers Leonhard Frank (1882 bis 1961).
*Fronde:* oppositionelle Haltung.
*Gorgohaupt:* Die Gorgonen waren Ungeheuer der griechischen Mythologie, deren Häupter durch ihren schrecklichen Anblick den Betrachter in Stein verwandelten.
*Grumbach:* Salomo G. (1884–1951), Schriftsteller, Sozialpolitiker.
*Heemskerk:* Jacoba van H. (1876–1923), expressionistische niederländische Malerin und Graphikerin.
*Heraldik:* Wappenkunde.
*Heusser:* Hans H. (1892–1942), Schweizer Komponist.
*Hypokrisie:* Heuchelei.
*Jacques:* Olli J. (1880–1949), Schauspielerin und Rezitatorin.
*Jelmoli:* Hans J. (1877–1936), Schweizer Komponist und Musikkritiker.
*Kadenz:* Akkordfolge zum Schluß eines Musikstücks, metrische Form des Versschlusses.
*kontrapunktliches Rezitativ:* Sprechgesang in der Oper mit gleichberechtigt nebeneinander herlaufenden Stimmen.
*Laban:* Rudolf von L. (eigtl. Laban von Váralya; 1879–1958), Lehrer und Theoretiker des Ausdruckstanzes.

*Marc:* Franz M. (1880–1916), expressionistischer Maler, Mitglied des *Blauen Reiters.*

*Marinetti:* Filippo Tommaso M. (1876–1944), italienischer Schriftsteller, Begründer des italienischen Futurismus.

*Meidner:* Ludwig M. (1884–1966), expressionistischer Maler und Graphiker.

*Mynona:* eigtl. Salomo Friedländer (1871–1946), deutscher Philosoph und auf den Expressionismus einwirkender Schriftsteller.

*Neitzel:* Lucian Hermann N. (1887–1963), elsässischer Kunstschriftsteller, mit Hans Arp befreundet.

*»Parole in libertà«:* (ital.) »Wörter in Freiheit«. Die italienischen Futuristen forderten in ihrem Manifest (1909) die »Befreiung des Wortes« aus der Klammer des traditionellen Satzes.

*Perottet:* Suzanne P. (1889–1983), Genfer Tänzerin, Mitglied der Laban-Tanzgruppe.

*»Poème simultan«:* (frz.) Simultangedicht, gleichzeitig von mehreren Sprechern vorgetragenes Poem.

*Rubiner-Ischak:* Frida Ischak-Rubiner (1879–1952), Journalistin, verheiratet mit dem expressionistischen Schriftsteller Ludwig Rubiner.

*Schamanenhut:* Schamanen sind die Zauberpriester bei manchen Naturvölkern.

*Schickele:* René Sch. (1883–1940), einer der Wortführer des deutschen Expressionismus.

*Schindanger:* Ort, an dem totes Vieh verscharrt wurde.

*›Siegeln‹:* festgelegte Abkürzungszeichen.

*»Sturm-Ausstellung«:* Präsentation expressionistischer Bilder, wie sie in Berlin Herwarth Walden in dem nach seiner Zeitschrift benannten *Sturm*-Salon betrieb.

*Taeuber:* Sophie T. (1889–1943), schweizerische Kunsthandwerkerin und Malerin; heiratete 1922 Hans Arp.

*Ulianow-Lenin:* Wladimir Iljitsch Uljanow, genannt Lenin (1870 bis 1924), Theoretiker des Kommunismus, Anführer der russischen Oktoberrevolution, lebte von 1914 bis 1917 im Exil in Zürich.

*vox humana:* (lat.) menschliche Stimme.

*Walther:* Klara W. (geb. 1899, Todesjahr unbekannt), Züricher Tänzerin, Mitglied der Laban-Tanzgruppe.

*Wigman:* Mary W. (eigtl. Marie Wiegmann; 1886–1973), Tänzerin und Choreographin, bedeutendste Vertreterin des Ausdruckstanzes.

## Manifeste

Programmatische Verlautbarungen – Ansprachen und Zeitschriftenartikel – sind nicht nur für die späteren Dada-Adaptionen charakteristisch, sondern begleiten auch schon die Züricher Dada-Bewegung von ihren Anfängen bis zu ihrem Ende. Dies ist bislang wenig sichtbar geworden; deshalb werden die wichtigsten Dokumente hier einmal separat zusammengestellt.

RICHARD HUELSENBECK

Erklärung, vorgetragen im »Cabaret Voltaire«, Frühjahr 1916 . . . . . 29

Dada. Eine literarische Dokumentation. Hrsg. von Richard Huelsenbeck. Reinbek bei Hamburg: Rowohlt, 1984. S. 33 f. 

HUGO BALL

Eroeffnungs-Manifest, 1. Dada-Abend. Zürich, 14. Juli 1916 . . . . . 30

Hans Bolliger / Guido Magnaguagno / Raimund Meyer: Dada in Zürich. In Zsarb. mit dem Kunsthaus Zürich. Zürich: Arche Verlag, 1985. S. 256.

*Bourgeoisie:* Bürgertum.
*Clou:* Überraschungseffekt.
*Korrodi:* Eduard K. (1885–1955), schweizerischer Publizist.
*Lilienmilchseife:* Tatsächlich gab es zu Zeiten Dada Zürichs eine Feinseife mit dem Namen »Dada« (vgl. Hans Bolliger / Guido Magnaguagno / Raimund Meyer, *Dada in Zürich*, in Zsarb. mit dem Kunsthaus Zürich, Zürich 1985, Abb. S. 26/27).
*Lilienstein:* Näheres nicht zu ermitteln.
*Rubiner:* Ludwig R. (eigtl. Ernst Ludwig Grombeck; 1881–1920), aktivistisch-revolutionärer Expressionist.
*Stendhal:* eigtl. Marie Henri Beyle (1783–1842), als Romancier Begründer des französischen Realismus.

TRISTAN TZARA

Manifest des Herrn Antipyrine . . . . . . . . . . . . . . 31

Tristan Tzara: Sieben dadaistische Manifeste. Übers. von Pierre Gallissaires. Hamburg: Edition Nautilus, 1976. S. 15 f.

Das Manifest wurde auf der ersten Dada-Veranstaltung im Züricher »Waag-Saal« am 14. Juli 1916 vorgetragen und zuerst veröffentlicht als *La 1e Aventure céleste de M. Antipyrine*, Zürich 1916.

HANS RICHTER

Gegen Ohne Für Dada . . . . . . . . . . . . . . . . . 33

Dada 4/5: Anthologie Dada. Parait sous la direction de Tristan Tzara. Zurich: Mouvement Dada. Seehof Schifflande 28. (15 mai 1919.) S. 26.

*Mouvement:* (frz.) Bewegung.
*Superiorität:* Überlegenheit.
*Voilà:* (frz.) Siehe da.

TRISTAN TZARA

Manifest Dada 1918 . . . . . . . . . . . . . . . . . . . 36

Dada-Almanach. Hrsg. von Richard Huelsenbeck. Berlin: Reiss, 1920. Reprogr. Nachdr. New York: Something Else Press, 1966. S. 116–131. [Aus dem Französischen von Hans Jacob.]

*Approximation:* Annäherung.
*Assonanz:* unreiner Reim, Gleichklang nur der Vokale am Versende.
*Astralschichten:* auf ein Jenseits verweisender Begriff der Theosophie, einer esoterischen Lehre.
*Aureole:* Strahlenkranz.
*Bouquet:* Bukett: Blumenstrauß; Duft des Weines.
*Calvinismus:* strenge, asketische Form des Protestantismus (nach dem Schweizer Theologen Johann Calvin, 1509–64).
*Cézanne:* Paul C. (1839–1906), Hauptvertreter des französischen Impressionismus in der Malerei.
*Cocotte:* käufliche Frau, Dirne.
*Diarrhoe:* Durchfall.
*Diskurs:* Gespräch, Erörterung.

*Dramaturg:* Aufführungsleiter beim Theater.
*facettiert:* mit Facetten versehen, differenziert.
*Futurist:* Anhänger des durch Marinetti begründeten italienischen Futurismus.
*Gonorrhoe:* Tripper (Geschlechtskrankheit).
*Incest:* Inzest: Blutschande.
*Inflexion:* Unbeugbarkeit.
*Intrigant:* Ränkeschmied.
*Kruneger:* Negerstamm.
*Kubisten:* Anhänger des Kubismus, der als moderne Stilrichtung zur Abstraktion in der Malerei tendiert.
*lanzieren:* lancieren: in Gang bringen, in Umlauf setzen, geschickt an eine gewünschte Stelle bringen.
*Medikaster:* zusammengezogen aus »Mediziner« und »Kritikaster«.
*Mercantilismus:* Merkantilismus: wirtschaftspolitische Maßnahmen mit dem Ziel, Geld anzusammeln, z. B. durch Exportsteigerung und Importdrosselung.
*»Meise«:* Züricher Veranstaltungslokal.
*Monstrum:* Ungeheuer.
*Non-plus-ultra:* Unübertreffbares, Unvergleichliches.
*pekuniär:* finanziell.
*Primitivismus:* Anschluß an die Kunst der Naturvölker.
*Raffinement:* Überfeinerung, Durchtriebenheit.
*Rayonchef:* Abteilungsleiter im Warenhaus.
*Stalaktiten:* herabhängende säulenartige Kalkablagerungen in Tropfsteinhöhlen.
*Trust:* Unternehmenszusammenschluß.
*Twostep:* Modetanz.

WALTER SERNER

Letzte Lockerung manifest . . . . . . . . . . . . . . . 47

Walter Serner: Das Hirngeschwür. DADA. München: Renner, 1982. (Das Gesamte Werk. Hrsg. von Thomas Milch. Bd. 2.) S. 23 bis 28.

*Amphibien:* Wirbeltiere im Übergang von den Fischen zu den Landtieren.
*Bernheim:* Alexandre B. (1839–1915), Galerist und Verleger in Paris.

*Biogeneten:* Anhänger der Theorie, daß Individualentwicklung und Stammesentwicklung übereinstimmen.
*Bois:* Gemeint ist der Pariser Stadtpark Bois de Boulogne.
*C'est possible que je serais bonne, si je saurais pourquoi:* (frz.) Es ist möglich, daß ich gut wäre, wenn ich wüßte, wofür.
*Chignon:* im Nacken verschlungene Haarrolle.
*Contenance:* Haltung, Fassung.
*Desperado:* Verzweifelter; Bandit.
*dieu merci:* (frz.) Gott sei Dank.
*embêtant:* (frz.) ärgerlich, langweilig.
*Etat:* Staatshaushalt.
*Fauteuil:* Sessel.
*fixen:* arrangieren, festmachen.
*Gauguin:* Paul G. (1848–1903), führender französischer Maler des Impressionismus.
*gefixt:* sicher, gewandt.
*Habilitanten:* Habilitanden: Bewerber um die universitäre Lehrbefugnis.
*Höcker:* Paul Oskar Hoecker (1865–1944), deutscher Schriftsteller.
*homo:* (lat.) Mensch.
*Interjektionen:* Ausrufe.
*Kartopaïtès:* Näheres nicht zu ermitteln.
*Kraneotomie:* Schädelschnitt, geburtshilfliche Operation am toten Kind.
*La Villette:* Lustort vor Paris.
*liberatio:* (lat.) Befreiung.
*Observanz:* Lebensführung.
*Pantopon:* Medikament, Ersatz für Opium und Morphium.
*pastos:* dick aufgetragen, dickflüssig.
*Picasso:* Pablo P. (1881–1973), spanischer Maler, Graphiker, Bildhauer von Weltrang, Begründer des Kubismus.
*prestigieuser:* ruhmsüchtiger.
*Raison:* Vernunft.
*Rasta:* (frz.) Hochstapler.
*rastaquèresk:* (frz.) hochstaplerisch.
*Ressentiment:* Vorbehalt, Abneigung.
*Roda-Roda:* Alexander (eigtl. Sándor Friedrich Rosenfeld; 1872 bis 1945), österreichischer Schriftsteller, Mitarbeiter des *Simplicissimus.*
*Sagot:* Pariser Kunsthändler.

*Samuel Fischer-Band:* Buch aus dem S. Fischer Verlag.
*Sapristi:* französischer Fluch.
*sc.:* Abkürzung für lat. *scilicet* ›das heißt‹.
*supponieren:* voraussetzen.
*teremtete:* ungarischer Fluch.
*Theresienwiese:* Lustort in München.
*titschen:* Dialektausdruck für: aufschlagen.
*Trochäen:* Silbenmaß.
*Wedekind:* Frank W. (1864–1918), vorexpressionistischer deutscher Dramatiker, Kritiker der bürgerlichen Sexualmoral.

## Texte · Dokumente

### EMMY HENNINGS

(1) Nach dem Cabaret . . . . . . . . . . . . . . . . . . . . 57
(2) Tänzerin . . . . . . . . . . . . . . . . . . . . . . . . . 57
(3) Gesang zur Dämmerung . . . . . . . . . . . . . . . 58
(4) Ätherstrophen . . . . . . . . . . . . . . . . . . . . . 58
(5) Morfin . . . . . . . . . . . . . . . . . . . . . . . . . . 59

Dada-Gedichte. (1) S. 20. (2) S. 21. (3) S. 22. (4) S. 18. (5) S. 18. Hans Arp / Hugo Ball [u. a.]: Dada Gedichte. Dichtungen der Gründer. Zürich: Verlag Die Arche, 1957. (1) S. 20. (2) S. 21. (3) S. 22. (4) S. 18. (5) S. 18.

*Morfin:* Rauschgift.

### HUGO BALL

(1) Totentanz . . . . . . . . . . . . . . . . . . . . . . . 60
(2) Cabaret . . . . . . . . . . . . . . . . . . . . . . . . . 61
(3) Sieben schizophrene Sonette . . . . . . . . . . . 62
(4) Karawane . . . . . . . . . . . . . . . . . . . . . . . . 66
(5) Seepferdchen und Flugfische . . . . . . . . . . . 67
(6) Gadji beri bimba . . . . . . . . . . . . . . . . . . . 68
(7) Totenklage . . . . . . . . . . . . . . . . . . . . . . . 69
(8) Piffalamozza (Der Stier) . . . . . . . . . . . . . . 70
(9) Das Carousselpferd Johann . . . . . . . . . . . . 71

Dada. Eine literarische Dokumentation. Hrsg. von Richard Huelsenbeck. Reinbek bei Hamburg: Rowohlt, 1984. (1) S. 99.

Hugo Ball: Gesammelte Gedichte. Zürich: Verlag Die Arche, 1963. (2) S. 23. (3) S. 34–40. (4) S. 28. (5) S. 33. (6) S. 27.
Hans Arp / Hugo Ball [u. a.]: Dada Gedichte. Dichtungen der Gründer. Zürich: Verlag Die Arche, 1957. (7) S. 29 f. (9) S. 25–27.
Hugo Ball. Leben und Werk. [Ausstellungskatalog.] Berlin: publica Verlagsgesellschaft, 1986. (8) S. 151.

*Agave:* tropische Pflanze.
*Atout:* Trumpf im Kartenspiel.
*De fakto:* tatsächlich.
*degoutieren:* Ekel empfinden.
*Dilettantismus:* laienhafte Bemühung.
*Douceur:* Geschenk, Trinkgeld.
*enharmonisch:* gleichklingend.
*Exhibitionist:* jemand, der seine Geschlechtsteile öffentlich entblößt.
*Garibaldi:* Giuseppe G. (1807–82): italienischer Revolutionär und Nationalheld.
*Hysteria clemens:* sanfte Hysterie (medizinischer Fachbegriff).
*Intermezzo:* Zwischenspiel.
*Kantilene:* getragene, sangbare Melodie.
*Kastellan:* Burgvogt, Schloßverwalter.
*Larifari:* dummes Gerede; auch Beiname für den Kasperl im Puppentheater.
*Latwerg:* Fruchtmus.
*Manasse:* jüdischer König des Alten Testaments, der Götzendienst einführte.
*Mob:* Pöbel, aufgehetzte Volksmenge.
*Parbleu:* (frz.) potztausend! Donnerwetter!
*Pasquill:* Schmähschrift.
*Pasquillant:* Verfasser von Schmähschriften.
*Pritsche:* flaches Schlagholz als Requisit des Kasperltheaters.
*Robinsonaden:* Romane und Erzählungen, die sich an Daniel Defoes Roman *Robinson Crusoe* anschließen.
*Saldi:* Differenzen zwischen Soll und Haben.
*Savonarola:* Girolamo S. (1452–98), italienischer Bußprediger und Gründer einer theokratisch-demokratischen Republik in Florenz.
*Schellenbaum:* Musikinstrument.
*Tamarinde:* tropisches Gewächs.
*Tympanum:* Handpauke.
*Zeiserlwagen:* Wagen zum Transport von Häftlingen.

RICHARD HUELSENBECK

(1) Der Idiot . . . . . . . . . . . . . . . . . . . . . 74
(2) Ebene . . . . . . . . . . . . . . . . . . . . . . . 75
(3) Flüsse . . . . . . . . . . . . . . . . . . . . . . . 77
(4) Dada-Gedicht . . . . . . . . . . . . . . . . . . . 78
(5) Ende der Welt . . . . . . . . . . . . . . . . . . 85
(6) Schalaben – schalabai – schalamezomai . . . . . . . . 86
(7) Chorus sanctus . . . . . . . . . . . . . . . . . . 88
(8) Die Primitiven . . . . . . . . . . . . . . . . . . 88
(9) Der redende Mensch . . . . . . . . . . . . . . . 88
(10) Die Kesselpauke . . . . . . . . . . . . . . . . . 89

Cabaret Voltaire. Eine Sammlung künstlerischer und literarischer Beiträge von Guillaume Apollinaire, Hans Arp, Hugo Ball [u. a.]. Hrsg. von Hugo Ball. Zürich, Meierei. Spiegelgasse 1. 1916. (1) S. 18.

Richard Huelsenbeck: Phantastische Gebete. Zürich: Verlag Die Arche, 1960. (2) S. 16–18. (3) S. 21 f. (4) S. 56–58. (5) S. 45. (6) S. 52 f. (7) S. 27. (8) S. 27. (9) S. 23. (10) S. 29 f.

*Absinth:* Wermut-Branntwein oder -Likör.
*Avenue:* städtische (Pracht-)Straße.
*Chauceur:* Näheres nicht zu ermitteln.
*Cherry-Brandy flip:* alkoholisches Modegetränk.
*Cutaway:* festlicher Sakko für Männer.
*dulce et decorum est pro patria mori:* (lat.) Süß und ehrenvoll ist es, fürs Vaterland zu sterben.
*Eduard der Siebente:* vermutlich der englische König Edward VII. (1841–1910).
*God save the king*: (engl.) »Gott schütze den König«; Titel der britischen Nationalhymne.
*Janitscharen:* türkische Elitetruppen.
*Kananiter:* Vorisraelitische Bevölkerung im Jordanland.
*Mafarka der Futurist:* Titel einer Publikation Filippo Tommaso Marinettis (s. S. 141).
*Missionar Stübel:* Näheres nicht zu ermitteln.
*Monistenbund:* Die durch Ernst Haeckel (1834–1919) und andere begründete Weltanschauung des Monismus wollte zwischen Religion und Wissenschaft (Darwinismus) vermitteln.
*Mullah:* moslemischer Geistlicher.
*Nachtmahr:* Alp, Nachtgespenst.

*Phonograph:* Vorläufer des Grammophons.
*poème bruitiste:* (frz.) Geräuschgedicht, Lärmgedicht.
*Ponte dei sospiri:* die Seufzerbrücke in Venedig.
*Schabracke:* prunkvolle Satteldecke.
*Schikaneder:* Emanuel Sch. (eigtl. Johann Joseph Schickeneder; 1751–1812), Bühnendichter und Theaterdirektor, lieferte u. a. das Textbuch zu Mozarts *Zauberflöte*.
*Theosophia pneumatica:* auf die Seele verweisender Begriff aus der Theosophie, einer esoterischen Lehre.
*Terebinthen:* Pistazienart.

HANS ARP

(1) Die Schwalbenhode . . . . . . . . . . . . . . . . . . . . 91
(2) Ich bin der große Derdiedas . . . . . . . . . . . . . . . 94
(3) Der poussierte Gast . . . . . . . . . . . . . . . . . . . . 95
(4) Weltwunder . . . . . . . . . . . . . . . . . . . . . . . . 100
(5) te gri ro ro . . . . . . . . . . . . . . . . . . . . . . . . 100
(6) Die Wolkenpumpe . . . . . . . . . . . . . . . . . . . . . 101

Dada-Almanach. Im Auftrag des Zentralamts der deutschen Dada-Bewegung hrsg. von Richard Huelsenbeck. Berlin: Reiss, 1920. Reprogr. Nachdr. New York: Something Else Press, 1966. (1) S. 114–116.
Dada. Eine literarische Dokumentation. Hrsg. von Richard Huelsenbeck. Reinbek bei Hamburg: Rowohlt, 1984. (2) S. 97.
Hans Arp: Gesammelte Gedichte. Bd. 1. Wiesbaden: Limes-Verlag, 1963. (3) S. 90–97. (4) S. 47. © Limes Verlag in der F. A. Herbig Verlagsbuchhandlung GmbH München.
Hans Arp / Hugo Ball [u. a.]: Dada Gedichte. Dichtungen der Gründer. Zürich: Verlag Die Arche, 1957. (5) S. 12.
Cabaret Voltaire. Eine Sammlung künstlerischer und literarischer Beiträge von Guillaume Apollinaire, Hans Arp, Hugo Ball [u. a.]. Hrsg. von Hugo Ball. Zürich, Meierei. Spiegelgasse 1. 1916. (6) S. 12–14. [Auszug.]

*Adam:* Mit dem »alten Adam« ist der mit der Erbsünde behaftete Mensch gemeint.
*Bürzel:* Hinterteil des Vogels.
*Chignon:* im Nacken verschlungene Haarrolle.
*Epauletten:* Schulterstücke der militärischen Uniform.

*Harun al Raschid:* 786–809 Kalif von Bagdad.
*Imprimatur:* (kirchliche) Druckerlaubnis.
*inkognito:* unerkannt, unter fremdem Namen.
*Kaskadeure:* Sprung-Artisten.
*merzerisiert:* nach dem englischen Erfinder Mercer benanntes Verfahren zur Veredelung von Baumwolle.
*Mignon:* kindhafte Zwitterfigur aus Goethes *Wilhelm Meister*.
*okuliert:* veredelt.
*Olifant:* Signalhorn aus der Rolandsage.
*Oriflamme:* (frz.) Kriegsfahne der französischen Könige.
*parapluie:* (frz.) Regenschirm.
*Piccolo:* (ital.) Kleiner; Kellner.
*Rabulisterei:* Spitzfindigkeit.
*Töchter aus Elysium:* Anspielung auf Schillers Ode *An die Freude*.
*Troika:* mit drei Pferden nebeneinander bespannter Wagen oder Schlitten.

TRISTAN TZARA

(1) Negerlieder . . . . . . . . . . . . . . . . . . . . . . . 104
(2) Textbild . . . . . . . . . . . . . . . . . . . . . . . . . 106
(3) Das erste und das zweite himmlische Abenteuer des Herrn Antipyrine . . . . . . . . . . . . . . . . 107

Dada-Almanach. Im Auftrag des Zentralamts der deutschen Dada-Bewegung hrsg. von Richard Huelsenbeck. Berlin: Reiss, 1920. Reprogr. Nachdr. New York: Something Else Press, 1966. (1) S. 141–143.
Hans Richter: Begegnungen von Dada bis heute. Briefe, Dokumente, Erinnerungen. Köln: DuMont Schauberg, 1973. (2) S. 138.
Karl Riha: TATÜ DADA. Dada und nochmals Dada bis heute. Aufsätze und Dokumente. Hofheim: Wolke-Verlag, 1987. (3) S. 40–43.

(4) der seemann . . . . . . . . . . . . . . . . . . . . . . 111
(5) frühlingszeit . . . . . . . . . . . . . . . . . . . . . . 111
(6) glasklar ein sprung . . . . . . . . . . . . . . . . . . 112
(7) kalenderblock . . . . . . . . . . . . . . . . . . . . . 113
(8) dada revue 2 . . . . . . . . . . . . . . . . . . . . . . 114
(9) totale fahrt durch mond und farbe . . . . . . . . . . 115
(10) abrakadabrakadaver . . . . . . . . . . . . . . . . . 117

Die Texte 4–10 wurden von Oskar Pastior für die vorliegende Ausgabe aus dem Französischen übersetzt. Die zugrunde gelegten und nachfolgend wiedergegebenen Originale wurden folgenden Ausgaben entnommen:

Hans Arp / Hugo Ball [u. a.]: Dada Gedichte. Dichtungen der Gründer. Zürich: Verlag Die Arche, 1957. (4) S. 53 (»Le marin«). (5) S. 57 (»printemps«). (6) S. 58 (»saut blanc cristal«). (7) S. 51 f. (»Calendrier«). (8) S. 48. (»La revue Dada 2«). (9) S. 49 f. (»Circuit total par la lune et par la couleur«).

Cabaret Voltaire. Eine Sammlung künstlerischer und literarischer Beiträge von Guillaume Apollinaire, Hans Arp, Hugo Ball [u. a.]. Hrsg. von Hugo Ball. Zürich, Meierei. Spiegelgasse 1. 1916. (10) S. 20 f. (»Carnage Abracadabrant«).

## Le marin

Il fait l'amour avec une femme qui n'a qu'une jambe
l'étroitesse d'un anneau Pondichéry
On a ouvert son ventre qui grince grigri
d'où sortent les bas et les animaux oblongs
Dans ton intérieur il y a des lampes fumantes
le marrais de miel bleu
chat accroupi dans l'or d'une taverne flamande
BOUM BOUM
beaucoup de sable bicycliste jaune
Château Neuf Des Papes
Manhattan il y a des baquets d'excrément devant toi
mbaze mbaze bazebaze mleganga garroo
Tu circules rapidement en moi
Kangourous dans les entrailles du bateau
attends je vais premièrement arranger mes impressions
les excursionnistes assis dentelle au bord de l'eau
enfonce les doigts dans les orbites que la lumière crève granates
l'Urubu nous regarde – tu dois rentrer dans la ménagerie des intelligences
l'Urubu s'enracine dans le ciel en ulcère orange
où vas-tu
Prestidigitateur moulin à vent coiffures tous les Pyrargues sont chancreux
EGG NOGG

## printemps

à h arp

placer l'enfant dans le vase au fond de minuit
et la plaie
une rose des vents avec tes doigts aux beaux ongles
le tonnerre dans les plumes voir
une eau mauvaise coule des membres de l'antilope

souffrir en bas avez-vous trouvé des vaches des oiseaux?
le soif le fiel du paon dans la cage
le roi en exil par la clarté du puits se momifie lentement
dans le jardin de légumes
semer des sauterelles brisées
planter des cœurs de fourmis le brouillard de sel une lampe tire la
queue sur le ciel
les petits éclats de verreries dans le ventre des cerfs en fuite
sur les points des branches noires courtes pour un cri

## saut blanc cristal

à m ianco

sur un clou
machine à coudre décomposée en hauteur
déranger les morceaux de noir
voir jaune couler
ton cœur est un œil dans la boîte de caoutchouc
coller à un collier d'yeux
coller des timbres-postes sur tes yeux

partir chevaux norvège serrer
bijoux vers tourner sèche
veux-tu? pleure
lèche le chemin qui monte vers la voix

abraham pousse dans le cirque
tabac dans ses os fermente
abraham pousse dans le cirque
pisse dans les os
les chevaux tournent ont des lampes électriques au lieu de têtes
grimpe grimpe grimpe grimpe

archevêque bleu tu es un violon en fer
et glousse glousse
vert
chiffres

## Calendrier

1.
flacon aux ailes de cire rouge en fleur
mon calendrier bondit médicament astral d'inutile amélioration
se dissout à la bougie allumée de mon nerf capital
j'aime les accéssoires de bureau par exemple
à la pêche des petits dieux
don de la couleur et de la farce
pour le chapitre odorant où c'est tout-à-fait égal
sur la piste réconfort de l'âme et du muscle
oiseau cralle

2.
avec des doigts crispés s'allongeant et chancelants comme les yeux
la flamme appelle pour serrer
es-tu là sous la couverture
les magazins crachent les employés midi
la rue les emporte
les sonnettes des tramways coupent la phrase forte

3.
vent désir cave sonore d'insomnie tempête temple
la chute des eaux
et le saut brusque des voyelles
dans les regards qui fixent les abîmes
à venir à surpasser vécus à concevoir
appellent les corps humains légers comme des allumettes
dans tous les incendies de l'automne des vibrations et des arbres
sueur de pétrole

4.
tes doigts chevauchant sur la claviature
peux-tu m'offrir la gamme des hoquets
je me suis courbé vers toi comme un pont tendu

dont les pilliers bosculés par la vague ne craquent pas
et c'est l'incertitude sous une forme de décision glacée
se déclanchant au mouvement subit des roues
voilà le muscle de mon cœur qui s'ouvre et crie

## La revue Dada 2

pour Marcel Janko

Cinq négresses dans un auto
ont explodé suivant les 5 directions de mes doigts
quand je pose la main sur la poitrine pour prier Dieu [parfois]
autour de ma tête il y a la lumière humide des vieux oiseaux
lunaires
l'auréole verte des saints autour des évasions cérébrales
tralalalalalalalalalala
qu'on voit maintenant crever dans les obus

il y a un jeune homme qui mange ses poumons
puis il a la diarrhée
puis il fait un pet lumineux
comme un retour d'oiseaux qu'on chante dans les poésies
comme la mort jaillit des canons
il fit un pet si lumineux que la maison devint minuit
le très grand voilier ouvrit son livre comme un ange cependant on
a fixé

tes feuilles, printemps, comme une belle page dans la typographie
zoumbaï zoumbaï zoumbaï di
votre dessin dans mes intestins a mangé le mal et le bien
surtout le mal comme la joie du général
car depuis j'ai peur les rats rongent l'église sans serviteur j'ai
transporté les draperies et il y avait sur chacune notre
Seigneur et sur chaque seigneur il y avait mon cœur
mon cœur je l'ai donné pour boire hihi

## Circuit total par la lune et par la couleur

à marcel janco

l'œil de fer en or changera
les boussoles ont fleuri nos tympans
regardez monsieur janco pour la prière fabuleuse
tropical
sur le violon de la tour eiffel et sonneries d'étoiles
les olives gonflent pac pac et se cristalliseront symétriquement
partout
citron
la pièce de dix sous
les dimanches ont caressé lumineusement dieu dada danse
partageant les céréales
la pluie
journal
vers le nord
lentement lentement
les papillons de 5 mètres de longueur se cassent comme les miroirs
comme le vol des fleuves nocturnes grimpe avec le feu vers la
voie lactée
les routes de lumière la chevelure les pluies irrégulières
et les kiosques artificiels qui volent veillent dans ton cœur quand
tu penses je vois
matinal
qui crie
les cellules se dilatent
les ponts s'allongent et se lèvent en air pour crier
autour des pôles magnétiques les rayons se rangent comme les
plumes des paons
boréal
et les cascades voyez-vous? se rangent dans leur propre lumière
au pôle nord un paon énorme dépoiera lentement le soleil
à l'autre pôle on aura la nuit des couleurs qui mangent les serpents
glisse jaune
les cloches
nerveux
pour l'éclaircir les rouges marcheront
quand je demande comment
les fosses hurlent
seigneur ma géométrie

Carnage Abracadabrant

se lever sous la manivelle de l'accordéon orchestration fluctuation calculation des résidus lents malades – quelle gorge rigide garage des fouets sages et parallèles et la cavalcade classée sous l'accolade

roman policier, nez artificiel pour éclairage rose des jours de fête, pick-pockets, imperméable, ballons aux bords des lacs biberons soir de printemps les machines marchent pour le grand réveil qui loue le carambolage dieu

de cambodge arrivé avec son bouldogue, parti à $5^h$ 05 tué minuit précis

l'antenne tremble sous l'abat-jour, cuisine de sabbats météorologiques, bagage, soupe stellaire dans l'ouragan lueur solennelle

strident éclairage DO majeur projections d'hélices et poudre blanche dans la bouteille clé de $1^{er}$ ordre garantie pour toutes les malles je m'amuse dans le triangle de fer

étiquettes dans la pharmacie et confessions de la jeune amoureuse: l'amertume des machines à coudre les nuages et des étoiles éteintes dans un verre d'eau

des anges de carroussel bleu robinet pour les instincts

et la baguette sonne sur les mensonges des colliers grelots et cadenas

WALTER SERNER

(1) Manschette 7 . . . . . . . . . . . . . . . . . . . . 118
(2) Manschette 9 . . . . . . . . . . . . . . . . . . . . 118
(3) Manschette 5 . . . . . . . . . . . . . . . . . . . . 119
(4) Bestes Pflaster auch roter Segen . . . . . . . . . . . 119
(5) Das bessere Negerdorf mit Glasschuppen . . . . . . 121
(6) Der serbische Olymp oder der schlecht ermordete Detektiv . . . . . . . . . . . . . . . . . . . . . . . 122
(7) Ein aufsehenerregendes Duell . . . . . . . . . . . 122

(8) Dementi . . . . . . . . . . . . . . . . . . . . . . . . . 123
(9) Ein aufsehenerregendes Duell . . . . . . . . . . . . . 124
(10) Erklärung . . . . . . . . . . . . . . . . . . . . . . . . 124

Walter Serner: Das Hirngeschwür. DADA. München: Renner, 1982. (Das Gesamte Werk. Hrsg. von Thomas Milch. Bd. 2.) (1) S. 65. (2) S. 66. (3) S. 67. (4) S. 30. (5) S. 79. (6) S. 73. (7) S. 33. (8) S. 34. (9) S. 34. (10) S. 35.

*apis:* heiliger Stier im alten Ägypten.
*Baynes Destiny: Destiny* hieß ein berühmter Walzer des englischen Komponisten Sidney Baynes (1879–1939).
*christian séance:* Anspielung auf die aus den USA stammende Glaubensgemeinschaft »Christian science« (»Christliche Wissenschaft«) sowie auf die »Séance«, die spiritistische Sitzung.
*Cointreau triple sec:* Likörmarke.
*coitus:* Beischlaf.
*croix d'honneur:* (frz.) Kreuz der Ehrenlegion.
*cumulus:* (lat.) Haufen.
*déroutieren:* von frz. *dérouter* ›in Verwirrung bringen, zerrütten‹.
*Heer:* Jakob Christoph H. (1859–1925), schweizerischer Schriftsteller und Journalist, Verfasser von Heimatromanen.
*Hemigloben:* Halbkugeln.
*it's a long way jusqu'au bout:* (engl., frz.) »Es ist ein langer Weg bis zum Ende«. Angespielt wird auf das englische Soldatenlied des Ersten Weltkriegs *It's a long way to Tipperary* und auf frz. *jusqu'au-boutisme* ›Radikalismus‹.
*Je te crache sur la tête:* (frz.) Ich spucke dir auf den Kopf.
*Kokoschka:* Oskar K. (1886–1980), deutscher expressionistischer Maler.
*le pantoufle:* (frz.) der Hausschuh, Pantoffel.
*lingua:* (lat.) Zunge.
*mandrille:* Mandrill: Affenart.
*marque déposée:* (frz.) eingetragenes Warenzeichen.
*Minarett:* Turm der Moschee.
*naturellement:* (frz.) selbstverständlich.
*Picabia:* Francis P. (1879–1953), wichtiger Anreger der Kunst des 20. Jahrhunderts, an Dada Zürich und New York Dada beteiligt.
*Pommery greno first:* Champagnermarke.
*Postérieur:* (frz.) Gesäß.
*poussez:* drücken!

*second robinet de douleur froide au music-hall:* (frz.) zweiter Wasserhahn kalten Schmerzes im Varieté.
*Stiefelknecht:* Hilfsmittel zum Ausziehen von Stiefeln.
*tabac aromatique et léger:* (frz.) aromatischer und leichter Tabak.

## *Gemeinschaftsarbeiten*

Nicht nur im Zusammenhang mit den Veranstaltungen im »Cabaret Voltaire«, sondern auch sonst tendierten die Züricher Dadaisten in verschiedenen Konstellationen zu künstlerisch-literarischen Koproduktionen. So berichtet etwa Hugo Ball über seine zeitweise äußerst enge Verbindung mit Richard Huelsenbeck in seinem Tagebuch *Die Flucht aus der Zeit* unterm 15. Juni 1916 (im vorliegenden Band S. 7–25).

HUGO BALL u. a.

Ein Krippenspiel. Bruitistisch . . . . . . . . . . . . . . . 125

Karl Riha: TATÜ DADA. Dada und nochmals Dada bis heute. Aufsätze und Dokumente. Hofheim: Wolke-Verlag, 1987. S. 27–31. – Bei der Aufführung dieses Krippenspiels im Juni 1916 wirkten unter anderem auch Emmy Hennings, Tristan Tzara, Hans Arp und Marcel Janco mit. (Vgl. auch die Eintragung vom 3. Juni 1916 in Balls Tagebuch *Die Flucht aus der Zeit*; im vorliegenden Band S. 16.)

RICHARD HUELSENBECK · MARCEL JANCO · TRISTAN TZARA

L'amiral cherche une maison à louer . . . . . . . . . . . . 130

Cabaret Voltaire. Eine Sammlung künstlerischer und literarischer Beiträge von Guillaume Apollinaire, Hans Arp, Hugo Ball [u. a.]. Hrsg. von Hugo Ball. Zürich, Meierei. Spiegelgasse 1. 1916. S. 6 f.

RICHARD HUELSENBECK · TRISTAN TZARA

Dialogue entre un cocher et une alouette . . . . . . . . . 132

Hans Arp / Hugo Ball [u. a.]: Dada Gedichte. Dichtungen der Gründer. Zürich: Verlag Die Arche, 1957. S. 78 f.

*alouette:* (frz.) Lerche.
*Bonjour:* (frz.) Guten Tag.
*Ça sent ... hippopotames:* (frz.) Das riecht schlecht, und ich begebe mich in das blaue klingende Antipyrin, ich höre den flüssigen Ruf der Flußpferde.
*cocher:* (frz.) Kutscher.
*decrsc.:* Abkürzung für ital. *decrescendo* ›leiser werdend‹.
*dialogue entre un cocher et une alouette:* (frz.) Gespräch zwischen einem Kutscher und einer Lerche.
*f.:* Abkürzung für ital. *forte* ›laut‹.
*Le hérisson ... consolateur:* (frz.) Der himmlische Igel versank in die Erde, die ihren inneren Dreck ausspie, ich werde zum Lichtglanz der Kontinente, ich werde, ich werde zum Tröster.
*Quelle fleur ... poète allemand:* (frz.) Welche Blume halten Sie im Schnabel? / Es ist Ihr Talent, von dem man sagt, es sei ausgezeichnet / Augenblicklich Lerchenschiß / Welche Blume halten Sie im Schnabel? / und Sie machen immer »pette« / Wie ein deutscher Dichter.
*Parce que le premier ... moderne internationale:* (frz.) Weil die erste Nummer der Zeitschrift *Dada* am 1. August 1916 erscheint. Preis: 1 Franken. Redaktion und Verlag: Spiegelgasse 1, Zürich; sie hat keinerlei Beziehung zum Krieg und versucht eine moderne internationale Tätigkeit.
*Pourquoi ... enthousiasme:* (frz.) Warum machen Sie mit solcher Begeisterung »pette«?

HANS ARP · WALTER SERNER · TRISTAN TZARA

(1) Die Hyperbel vom Krokodilcoiffeur und dem Spazierstock . . . . . 134
(2) Rattaplasma . . . . . 135
(3) Der automatische Gascogner . . . . . 135
(4) Montgolfier Institut für Schönheitspflege . . . . . 136

Hans Arp / Hugo Ball [u. a.]: Dada Gedichte. Dichtungen der Gründer. Zürich: Verlag Die Arche, 1957. (1) S. 77. (2) S. 72. (3) S. 76. (4) S. 73.

*Amber:* Ausscheidung des Pottwals, aus der ein Duftstoff gewonnen wird.

*concert vocal ... vertige.* (frz.) Vokalkonzert, meteorologische Musik / subtiles Tier, der Schlüssel des Taumels.
*horoscope satanique ... vent virile:* (frz.) Satanisches Horoskop erweitert sich unter deiner Lebenskraft / Wachsamkeit Virgils verifiziert den virilen Wind.
*minuit définitif ... oxygéné:* (frz.) Endgültige Mitternacht / Umarmung der Kuckucke / Fortschreiten der Kuckucke / Sauerstoffhaltiger Kakadu.
*nurse:* (engl.) Kindermädchen; Krankenschwester.
*vivisection géométrique ... le lit écoute:* (frz.) Geometrische Vivisektion der saturnalischen Halsentzündungen / Robinson auf verdeckter See / bittere Zeitschrift, zu lesen bei der Kerze / die Liebe im Profil, das Herz unter dem Bett hört zu.

# Kurzbiographien

## HANS ARP

Am 16. September 1887 in Straßburg geboren; dort Besuch der Kunstgewerbeschule, anschließend der Kunstakademie in Weimar und der *Académie Julian* in Paris; 1909 bis 1914 Aufenthalt in Weggis (Schweiz); 1911 Mitbegründer des *Modernen Bundes*, ein Jahr später Anschluß an den *Blauen Reiter*; 1913 Mitarbeit an der Zeitschrift *Der Sturm*; 1914/15 in Paris; 1916 Mitbegründer der Dada-Bewegung; graphische und literarische Arbeiten in den Züricher Dada-Publikationen; Lyrikbände: *Die Wolkenpumpe* und *Der Vogel selbdritt* (1920); *7 Arpaden* (1923); *Der Pyramidenrock* (1924); *Weißt du schwarzt du* (1930); 1920/21 Beteiligung an der Dada-Bewegung in Köln; 1921/22 mehrfach in Köln zu Besuch beim Vater; mit Max Ernst befreundet; Mitarbeit an der Zeitschrift *die schammade*; 1922 Heirat mit der Malerin Sophie Taeuber; 1923 Zusammenarbeit mit Kurt Schwitters an dessen Zeitschrift *Merz*; ab 1925 Anschluß an die Surrealisten; lebte seit 1926 überwiegend in Meudon bei Paris; nach dem Zweiten Weltkrieg Reisen nach Amerika und Griechenland; 1954 mit dem Großen Preis der Biennale für Plastik ausgezeichnet; gestorben am 7. Juni 1966 in Basel. – Dada-Erinnerungen unter den Titeln *Dadaland* und *Dada war kein Rüpelspiel*, beides in: *Unsern täglichen Traum. Erinnerungen, Dichtungen und Betrachtungen* (Zürich 1955).

## HUGO BALL

Am 22. Februar 1886 in Pirmasens geboren, Studium der Philosophie und Soziologie in München, Heidelberg und Basel, Beginn einer Dissertation über Friedrich Nietzsche; 1910 Regieausbildung bei Max Reinhardt, Dramaturg in Plauen; 1912 Regisseur und Dramaturg an den Münchener Kammerspielen, Wegbereiter des expressionistischen Theaters; zugehörig zum Kreis des *Blauen Reiters*, Mitarbeit an der von Hans Leybold herausgegebenen Zeitschrift *Revolution*; 1915 gemeinsam mit Emmy Hennings Emigration in die Schweiz, 1916 Gründung des *Cabaret Voltaire* und Edition der gleichnamigen Veröffentlichung; ab 1917 Abwendung von der Dada-Bewegung, bis 1919 als Journalist an der *Freien Zeitung* in Bern tätig. Essays *Zur Kritik der deutschen Intelligenz*

(1919); 1920 Heirat mit Emmy Hennings und Rückzug ins Tessin; dort gestorben am 14. September 1927; im Todesjahr erschien sein Tagebuch *Die Flucht aus der Zeit*.

EMMY BALL-HENNINGS

Am 17. Januar 1885 in Flensburg geboren; Schauspielerin, Chansonnette; Bekanntschaft mit Georg Heym, Ferdinand Hardekopf, Frank Wedekind und Hugo Ball; 1916 mitbeteiligt an der Gründung und an den Aufführungen des *Cabaret Voltaire*. Veröffentlichungen: die Gedichtbände *Die letzte Freude* (1913), *Helle Nacht* (1919), der Roman *Gefängnis* (1918) und das Tagebuch *Das Brandmal* (1920); 1920 Heirat mit Hugo Ball; mit ihm gemeinsam Reisen nach Italien und Rückzug ins Tessin; nach Balls Tod: *Hugo Balls Weg zu Gott* (1931) und *Ruf und Echo. Mein Leben mit Hugo Ball* (1953); gestorben am 10. August 1948 in Magliaso im Tessin.

RICHARD HUELSENBECK

Geboren am 23. April 1892 in Frankenau (Hessen); Medizinstudium in Paris, Zürich, Berlin, Greifswald, Münster und München, anschließend Studium der Germanistik, Kunstgeschichte und Philosophie; im expressionistischen Stil Mitarbeit an der *Aktion*; als Pazifist emigrierte er Februar 1916 nach Zürich; dort Mitwirkender im *Cabaret Voltaire*; plädierte für die Verstärkung des rhythmischen Elements, »möchte am liebsten die Literatur in Grund und Boden trommeln« (Ball); Veröffentlichungen: die Gedichtbände *Schalaben, Schalabai, Schalamezomai* (1916) und *Phantastische Gebete* (1916), die Novellen *Verwandlungen* und *Azteken oder Die Knallbude* (1918); Januar 1917 Rückkehr nach Berlin und dort Anreger der Berliner Dada-Bewegung; formulierte April 1918 das *Dadaistische Manifest*, das von nahezu allen Züricher und Berliner Dadaisten unterzeichnet wurde, »im Auftrag des Zentralamts der deutschen Dada-Bewegung« Herausgeber des *Dada-Almanachs* (1920), Dada-Chronist mit den Veröffentlichungen: *En avant dada. Eine Geschichte des Dadaismus* und *Dada siegt. Eine Bilanz des Dadaismus* (1920); nach dem Niedergang Dada Berlins als Schiffsarzt unterwegs, Verfasser von Reisebüchern; 1936 Emigration nach New York und Eröffnung einer psychiatrischen Praxis unter dem Namen Dr. Hulbeck; Autobiographie *Mit Witz, Licht und Grütze* (1957); gestorben am 20. April 1974 in Minusio (Schweiz).

MARCEL JANCO

Geboren am 24. Mai 1895 in Bukarest; dort Studium der Malerei und 1912, zusammen mit Tzara und Ion Vinea, Herausgeber der Zeitschrift *Simbolul*; 1915/16 Studium an der Eidgenössischen Technischen Hochschule in Zürich, Mitbegründer des *Cabaret Voltaire*: dadaistische Plakate, Illustrationen, Holzschnitte, Kostüme und Masken; 1918/19 Mitglied der Gruppen *Das neue Leben* und *Artistes Radicaux*; 1921 kurzer Kontakt mit den Pariser Dadaisten; 1922 Rückkehr nach Bukarest, Gründer der Zeitschrift *Contimporanul*; 1941 Flucht nach Israel; Mitarbeit an Willy Verkaufs Monographie *Dada* (1957). Gestorben am 25. Dezember 1963.

HANS RICHTER

Geboren am 6. April 1888 in Berlin; dort Studium an der Hochschule für bildende Kunst und an der Weimarer Akademie; als Maler und Graphiker Mitglied der Züricher und Berliner Dada-Bewegung; schuf 1921 den ersten abstrakten Film *Rhythmus 21* und 1927 den dadaistischen Film *Vormittagsspuk*; 1930 Redakteur der *Täglichen Rundschau*, Film-Vortragsreihe am Bauhaus; 1932 Übersiedlung nach Moskau und über Holland, Frankreich und die Schweiz nach Südamerika; 1941 Einreise in die USA und seit 1951 amerikanischer Staatsbürger; letzter Film, *Dadascope*, entstand zwischen 1956 und 1958; gestorben 1976 in Southbury (USA); Buchveröffentlichungen: *Filmgegner von heute – Filmfreunde von morgen* (1929), *Dada-Profile* (1960), *Dada – Kunst und Antikunst* (1964), *Begegnungen von Dada bis heute* (1973).

WALTER SERNER

Geboren am 15. Januar 1889 in Karlsbad; Jurastudium in Wien, Promotion in Greifswald; Mitarbeit an der *Aktion*; bei Kriegsausbruch Emigration in die Schweiz; 1915 Gründung der Zeitschrift *Sirius*; Anschluß an die Züricher Dada-Bewegung; Mitherausgeber der Zeitschrift *Der Zeltweg*; Veröffentlichung: *Letzte Lockerung, Manifest Dada* (1920); Dada-Veranstalter und Bluff-Inszenierer in Genf; 1921 Bruch mit der Dada-Bewegung; unstetes Reiseleben; Verfasser unter anderem von Kriminalgeschichten; Veröffentlichungen: *Zum blauen Affen* (1920), *Der Pfiff um die Ecke* (1925); Verbot seiner Bücher durch die Nationalsozialisten. Am 10. August 1942 Deportation ins Konzentrationslager Theresienstadt, von dort am 20. August nach dem sogenannten Osten weitertransportiert.

## TRISTAN TZARA

Geboren als Sami Rosenstock am 4. April 1896 in Moineşti (Rumänien); lebte mit seiner Familie seit 1914 in Zürich; beabsichtigte ein Mathematikstudium; Bekanntschaft mit Marcel Janco, Hugo Ball und Hans Arp schon vor der Gründung des *Cabaret Voltaire*, zu dessen aktivsten Mitgliedern er zählte; gab Anstoß zur Beschäftigung mit der sogenannten »Negerpoesie«, beteiligt an der Erfindung des Simultangedichts; Herausgeber der *Collection Dada* (in ihr die eigenen Veröffentlichungen *Vingt-cinq poèmes* und *La première aventure céleste de M. Antipyrine*, 1916) und der Zeitschrift *Dada* (1917 ff.); Verbindung zu Dada Berlin, seine *Chronique Zurichoise 1915–1919* erschien 1920 im *Dada-Almanach*; 1919 Wechsel von Zürich nach Paris und Gründung der Pariser Dada-Bewegung; Fortführung der *Collection Dada* (mit der eigenen Veröffentlichung: *Cinéma calendrier du cœur abstrait*, 1920) und der Zeitschrift *Dada*, Veranstalter von Dada-Matinées, Verfasser von Dada-Manifesten, Veröffentlichung: *Sept manifestes Dada* (1924); weltweiter ›Dada-Manager‹; zunehmend Kontroversen mit den Pariser Mit-Dadaisten, die sich abspalteten und unter der Führung André Bretons den Surrealismus begründeten; gab 1929 den Widerstand auf und schloß sich dem Surrealismus an; gestorben am 24. Dezember 1963 in Paris.

# Literaturhinweise

Ades, Dawn: Dada and Surrealism Reviewed. With an Introduction by David Sylvester and a Supplementary Essay by Elizabeth Cowling. London: Westerham Press, 1978.

Arp, Hans: Gesammelte Gedichte. 4 Bde. Wiesbaden: Limes-Verlag, 1963–84.

– / Hugo Ball [u. a.]: Dada Gedichte. Dichtungen der Gründer. Zürich: Verlag Die Arche, 1957.

Ball, Hugo: Die Flucht aus der Zeit. München/Leipzig: Duncker & Humblot, 1927. – Neuausg. Hrsg. von Bernhard Echte. Zürich: Limmat Verlag, 1992.

– Gesammelte Gedichte. Zürich: Verlag Die Arche, 1963.

Bolliger, Hans / Magnaguagno, Guido / Meyer, Raimund: Dada in Zürich. In Zsarb. mit dem Kunsthaus Zürich. Zürich: Arche Verlag, 1985.

Cabaret Voltaire. Eine Sammlung künstlerischer und literarischer Beiträge von Guillaume Apollinaire, Hans Arp, Hugo Ball [u. a.]. Hrsg. von Hugo Ball. Zürich, Meierei. Spiegelgasse 1. 1916.

Dada. Eine literarische Dokumentation. Hrsg. von Richard Huelsenbeck. Reinbek bei Hamburg: Rowohlt, 1964. [2]1984.

Dada. Monographie einer Bewegung. Hrsg. von Willy Verkauf [u. a.]. Teufen: Niggli, 1957.

Dada-Almanach. Im Auftrag des Zentralamts der deutschen Dada-Bewegung hrsg. von Richard Huelsenbeck. Berlin: Reiss, 1920. Reprogr. Nachdr. New York: Something Else Press, 1966.

Dada Berlin. Texte, Manifeste, Aktionen. In Zsarb. mit Hanne Bergius hrsg. von Karl Riha. Stuttgart: Reclam, 1977 [u. ö.].

DADA total. Manifeste, Aktionen, Texte, Bilder. In Verb. mit Angela Merte hrsg. von Karl Riha und Jörgen Schäfer. Stuttgart: Reclam, 1994.

The Dada Painters and Poets. An Anthology. Hrsg. von Robert Motherwell. New York: Wittenborn, 1951.

Huelsenbeck, Richard: Mit Witz, Licht und Grütze. Auf den Spuren des Dadaismus. Wiesbaden: Limes-Verlag, 1957.

– Phantastische Gebete. Zürich: Verlag Die Arche, 1960.

Hugo Ball. Leben und Werk. [Ausstellungskatalog.] Hrsg. von Ernst Teubner. Berlin: publica Verlagsgesellschaft, 1986.

113 Dada-Gedichte. Hrsg. von Karl Riha. Berlin: Wagenbach, 1983.

Meyer, Raimund / Hossli, Judith / Magnaguagno, Guido / Steiner, Juri / Bolliger, Hans: Dada global. Zürich: Limmat Verlag, 1994.
Meyer, Reinhart [u. a.]: Dada in Zürich und Berlin 1916–1920. Literatur zwischen Revolution und Reaktion. Kronberg i. Ts.: Scriptor-Verlag, 1973.
Prosenc, Miklavz: Die Dadaisten in Zürich. Bonn: Bouvier, 1967.
Richter, Hans: Dada-Profile. Mit Zeichnungen, Photos, Dokumenten. Zürich: Verlag Die Arche, 1961.
– Dada – Kunst und Antikunst. Der Beitrag Dadas zur Kunst des 20. Jahrhunderts. 3., erg. Aufl. Köln: DuMont Schauberg, 1973.
– Begegnungen von Dada bis heute. Briefe, Dokumente, Erinnerungen. Köln: DuMont Schauberg, 1973.
Riha, Karl: TATÜ DADA. Dada und nochmals Dada bis heute. Aufsätze und Dokumente. Hofheim: Wolke-Verlag, 1987.
Rubin, William S.: Dada and Surrealist Art. With 851 Ill. London: Thames & Hudson, 1969.
Serner, Walter: Das Gesamte Werk. Hrsg. von Thomas Milch. 8 Bde. 2 Suppl.-Bde. München: Renner, 1979–84.

*Nachwort*

# Dada in Zürich

Der Züricher Dadaismus begann am 5. Februar 1916 mit der Eröffnung des *Cabaret Voltaire*. In einer von Hugo Ball in sein Tagebuch *Die Flucht aus der Zeit* aufgenommenen »Pressenotiz« heißt es hierzu:

> »Cabaret Voltaire. Unter diesem Namen hat sich eine Gesellschaft junger Künstler und Literaten etabliert, deren Ziel es ist, einen Mittelpunkt für die künstlerische Unterhaltung zu schaffen. Das Prinzip des Kabaretts soll sein, daß bei den täglichen Zusammenkünften musikalische und rezitatorische Vorträge der als Gäste verkehrenden Künstler stattfinden, und es ergeht an die junge Künstlerschaft Zürichs die Einladung, sich ohne Rücksicht auf eine besondere Richtung mit Vorschlägen und Beiträgen einzufinden.«[1]

Hugo Ball und Emmy Hennings hatten sich bereits in den Monaten zuvor, in denen sie sich im Schweizer Exil aufhielten, ihren Lebensunterhalt mit Auftritten in ähnlichen Unterhaltungsetablissements verdient; so lag es nah, nun in die ›eigene Regie‹ zu gehen. Walter Mehring charakterisiert in seinen Dada-Erinnerungen das *Cabaret Voltaire* sogar als eine Einrichtung eigens für Emmy Hennings, die »Schleswiger Chansonnette«, die Ball in einem »Berliner Tingeltangel« kennengelernt, in die er sich verliebt und die er zu seiner »Frau und Jüngerin« erhoben hatte.

Am Eröffnungsabend war die »kleine Kneipe«, die sich als »Varieté-Miniatur« präsentierte, überfüllt – unter den Gästen waren die rumänischen Emigranten Marcel Janco und Tristan Tzara sowie Hans Arp aus Frankreich. Am 11. Februar stieß aus Deutschland Richard Huelsenbeck hinzu, den Ball, der in seiner Einleitung zu der Zeitschrift *Cabaret Voltaire* den 26. Februar

1 Hugo Ball, *Die Flucht aus der Zeit*, Neuausg. Zürich 1992, S. 79.

nennt, per Postkarte dazu aufgerufen hatte: beide kannten sich bereits aus ihrer Münchener bzw. Berliner Zeit seit 1912. Obwohl mit den Genannten die Züricher Hauptdadaisten schon beisammen waren, hielt sich das durch Ball begründete *Cabaret* zunächst durchaus im Rahmen herkömmlicher Brettl-Kunst, wie sie sich seit der Jahrhundertwende von Frankreich aus speziell nach Deutschland hin entwickelt hatte. Wir finden deshalb zu den ersten Abenden Hinweise auf Vortragsnummern wie *À la Villette* von Aristide Bruant, das *Donnerwetterlied* von Frank Wedekind oder das *Revoluzzerlied* von Erich Mühsam. Neben Texten von Christian Morgenstern wurden Gedichte der Expressionisten Jakob van Hoddis, Oskar Kokoschka, Alfred Lichtenstein und Else Lasker rezitiert. Aber die Unternehmung war durchaus offen im Sinn der Ankündigung: ein zwanzig Mann starkes russisches Balalaika-Orchester offerierte sich als ›ständiger Gast‹, der sogenannte »Schweizer Abend« brachte zwei Herren, von denen der eine das Lied vom *Schönen Jungfer Lieschen*, der andere *Eichene Gedichte* (eigene Gedichte) darbot; schließlich ist der Überfall einer ganzen »Gesellschaft holländischer Jungs« festgehalten, die Banjos und Mandolinen mitgebracht hatten und sich »wie komplette Narren« benahmen:

»Einen ihrer Klique nennen sie den ›Öl im Knie‹. Dieser Herr Ölimknie macht den Obermimen, indem er drapiert aufs Podium steigt und unter allerhand Verrenkungen, Beugen und Schlottern der Kniee Exzentricsteps vorführt.«[2]

Für Ende Februar notiert Ball, ein »undefinierbarer Rausch« habe sich aller bemächtigt; das kleine Kabarett drohe aus den Fugen zu gehen und eskaliere »zum Tummelplatz verrückter Emotionen«. Ausdrücklich weist er darauf hin, daß die Tendenz zur künstlerischen Neufindung, der Drang zum »ununterbrochen Lebendigen, Neuen, Naiven« unmittelbar aus der direkten Konfrontation mit dem Publikum resultiere. Der »öffentliche Vortrag« wird zum ausschlaggebenden Kriterium:

»[. . .] ich habe mich (vom Podium) belehren lassen, in welchem Ausmaße die heutige Literatur problematisch, das heißt

2 Ebd., S. 91.

> am Schreibtische erklügelt und für die Brille des Sammlers, statt für die Ohren lebendiger Menschen gefertigt ist.«[3]

Huelsenbecks Pseudo-Negergedichte, seine mit einem »Stöckchen aus spanischem Rohr« skandierten *Phantastischen Gebete* und das gemeinsam von Huelsenbeck, Tzara und Janco geschaffene *Poème simultan* handeln vom »Wert der Stimme«, leben aus der Vortragspose, sind akustische Poesie, die laut gesprochen und gehört – nicht gelesen – sein will. Auch der Schritt in die Maske, den Janco anregte, ist auf die theatralische Wirkung im Kabarettraum, also auf Zuschauer berechnet. Die »motorische Gewalt« der vorgebundenen Larven teilte sich den Akteuren bereits beim ersten Versuch in »frappierender Unwiderstehlichkeit« mit: »Die Masken verlangten einfach, daß ihre Träger sich zu einem tragisch-absurden Tanz in Bewegung setzten.« In Hugo Balls Lautgedichten, die in der Schlußphase des *Cabaret Voltaire* gewissermaßen den Höhepunkt seiner Entwicklungsmöglichkeit markieren, treffen sich beide Linien: ausdrücklich als »Klanggedichte« bezeichnet, wurden sie vor Notenständern zelebriert; für die Premiere hatte sich der Autor – wie unter Kabarettisten üblich und ihrem Hang zum Rollenspiel entsprechend – ein eigenes Kostüm konstruiert.

Der Name ›Dada‹, der damals bereits gefunden war, taucht in den Tagebüchern Balls erstmals unter dem Datum des 18. April auf, verquickt mit dem Plan zur Gründung einer Zeitschrift. Bekanntlich reklamierten aber auch Tzara und Huelsenbeck die Namensfindung für sich. Wichtiger als die umstrittene Urheberschaft ist allerdings die Wortfindung selber; und hier stimmen die unterschiedlichen Versionen darin überein, daß offensichtlich zufälliges Blättern in einem Wörterbuch oder Lexikon den Ausschlag gab:

> »Dada heißt im Rumänischen Ja Ja, im Französischen Hotto- und Steckenpferd. Für Deutsche ist es ein Signum alberner Naivität und zeugungsfroher Verbundenheit mit dem Kinderwagen.«[4]

Der lexikalische Gehalt des Wortes ›Dada‹ in den verschiedenen

3 Ebd., S. 83.
4 Ebd., S. 95.

Sprachen interessierte die Dadaisten jedoch bestenfalls am Rande. ›Dada‹, der internationale Zweisilber, bedeutete ihnen alles und auch wieder nichts, war leer und für alles offen, konnte eine Zeit, die sich gegenüber festen Moralstandpunkten indifferent verhielt, um eine absurde Dimension bereichern. Der Mythos der Wortfindung ist – bis in die heutige Zeit hinein – immer wieder um neue Momente bereichert worden. So wurde im Jahr 1966 anläßlich des fünfzigsten Dada-Jubiläums in Zürich das von der Firma Bergmann & Co. aus dem Jahr 1906 überlieferte Inserat ›Dada – haarstärkendes Kopfwasser‹ entdeckt, darüber hinaus warb dieselbe Firma unter dem Markenzeichen ›Dada‹ für Haarwasser, Toilettenseifen, Parfümerien und Zahnpflegemittel.[5] Ball spielt auf diese Produktpalette an, wenn er auf der ersten Dada-Soirée vom 14. Juli 1916 sagt: »Dada ist die Weltseele, Dada ist der Clou, Dada ist die beste Lilienmilchseife der Welt.«

Das Prinzip des Zufalls, das bei der Wortfindung somit eine zentrale Rolle spielte, wird vor allem von Hans Arp als das entscheidende dadaistische Moment herausgestellt. »Producere heißt herausführen, ins Dasein rufen. Es müssen nicht Bücher sein.« Hans Richter bezeichnet das ›Unbekannte‹ in diesem Sinn als das »Zentralerlebnis von Dada« und merkt an, daß es sich hauptsächlich in der »bildnerisch-visuellen Sphäre« entwickelt habe:

> »Ich möchte hier eine Anekdote anführen [...]. Arp hatte lange in seinem Atelier am Zeltweg an einer Zeichnung gearbeitet. Unbefriedigt zerriß er schließlich das Blatt und ließ die Fetzen auf den Boden flattern. Als sein Blick nach einiger Zeit zufällig wieder auf diese auf dem Boden liegenden Fetzen fiel, überraschte ihn ihre Anordnung. Sie besaß einen Ausdruck, den er die ganze Zeit vorher vergebens gesucht hatte.«[6]

An Hugo Balls Diarium läßt sich beobachten, in welcher Weise der Begriff ›Dada‹ die zuvor gegebenen Bestimmungen des

5 Vgl. Hans Bolliger / Guido Magnaguagno / Raimund Meyer, *DADA in Zürich*, hrsg. in Zsarb. mit dem Kunsthaus Zürich, Zürich 1985, S. 25 f.

6 Hans Richter, *Dada – Kunst und Antikunst*, Köln ³1973, S. 51 f.

*Cabaret Voltaire* in sich aufnimmt und transformiert, etwa die verschränkende, auf den Hintergrund des Weltkriegs zu projizierende Formulierung: »Was wir zelebrieren, ist eine Buffonade und eine Totenmesse zugleich.« Eine Art Manifest stellen die in einzelne Abschnitte gegliederten Eintragungen des 12. Juni dar:

> »Was wir Dada nennen, ist ein Narrenspiel aus dem Nichts, in das alle höheren Fragen verwickelt sind [...]. Der Dadaist liebt das Außergewöhnliche, ja das Absurde. [...] Der Dadaist kämpft gegen die Agonie und den Todestaumel der Zeit.«[7]

Schon Mitte März 1916 zeigte das *Cabaret Voltaire* jedoch erste Erschöpfungszustände; Huelsenbeck merkt dazu an, daß der holländische Wirt heftig nach »besserer Unterhaltung« verlangt habe, um mehr Zuschauer anzulocken, da er sonst das Etablissement schließen müsse. Auch verlagerten sich die Interessen der Züricher Dadaisten; mit der am 29. März 1917 neugegründeten *Galerie Dada* traten die bildenden Dada-Künstler entschiedener in den Vordergrund. Die *Galerie* agierte als Plattform für alle denkbare moderne Kunst, die während der Kriegsjahre sonst nirgends in Europa Ausstellungs- und Publikationsmöglichkeiten besaß. Balls Tagebuch enthält zum Juli 1916 keine Angaben, sein *Eröffnungs-Manifest* beim ersten öffentlichen Dada Abend im ›Zunfthaus Waag‹ am 14. Juli war nach seinen eigenen Worten »eine kaum verhüllte Absage an die Freunde«; nach längerer Abwesenheit kehrte er überhaupt erst Ende November nach Zürich zurück.

Doch unter den späteren Notizen finden sich Rückverweise aufs *Cabaret*, aus denen zugleich die gewandelte Situation des Dadaismus in Zürich deutlich wird. Einerseits ist die *Galerie* die »Fortführung der Kabarett-Idee vom vorigen Jahr«, andererseits aber sind die »Barbarismen des Kabaretts« überwunden, dient die neue Unternehmung der Absicht, »eine kleine Gesellschaft von Menschen zu bilden, die sich gegenseitig stützen und kultivieren«: »Zwischen ›Voltaire‹ und ›Galerie Dada‹ liegt eine

7 Ball (s. Anm. 1), S. 98 f.

Spanne Zeit, in der sich jeder nach Kräften umgetan und neue Eindrücke und Erfahrungen gesammelt hat.« Die *Galerie*, heißt es, habe »drei Gesichter«:

> »Tagsüber ist sie eine Art Lehrkörper für Pensionate und höhere Damen. Am Abend ist der Kandinsky-Saal bei Kerzenbeleuchtung ein Klub der entlegensten Philosophien. An den Soiréen aber werden hier Feste gefeiert von einem Glanz und Taumel, wie Zürich sie bis dahin nicht gesehen hat.«[8]

Die künstlerischen Entdeckungen, zu denen das *Cabaret* den Anstoß gegeben hatte, veränderten sich, als sie im Rahmen der *Galerie* aufgegriffen und rekapituliert wurden, nicht unerheblich. Das zeigen die Lautgedichte Balls, die nun – als ›abstrakte Tänze‹ vorgetragen – in den Bannkreis kontemplativer Kunstanschauungen gerieten, die auf ›zauberische Beschwörungen‹ und auf ›Befreiung von der Zeit‹ – bis ins Unterbewußte – aus waren. Rudolf von Laban, der bedeutendste Lehrer und Theoretiker des freien Ausdruckstanzes, war im Jahr 1916 mit seiner Tanzschule von München nach Zürich umgezogen; sein freier Tanz, der von der absoluten Bewegung und nicht von der Interpretation der Musik ausging, deckte sich mit der dadaistischen Linie der Unmittelbarkeit des Ausdrucks. So lag es nahe, in Dada-Veranstaltungen diese neue Grammatik der Sprache und des Tanzes aufeinander zu beziehen. Man vergleiche daraufhin den Premierenbericht zur »neuen Gattung von Versen, ›Versen ohne Worte‹« im *Cabaret Voltaire* vom Juni 1916 (im vorliegenden Band S. 20) mit der neuen, stärker das Spielerische und Anmutige betonenden Charakterisierung im Jahr darauf:

> »Hier im besonderen Falle genügte eine poetische Lautfolge, um jeder der einzelnen Wortpartikel zum sonderbarsten, sichtbaren Leben am hundertfach gegliederten Körper der Tänzerin zu verhelfen. Aus einem ›Gesang der Flugfische und Seepferdchen‹ wurde ein Tanz voller Spitzen und Gräten, voll flirrender Sonne und von schneidender Schärfe. [...] Die neuere Kunst ist sympathisch [...].«[9]

8 Ebd., S. 161.
9 Ebd., S. 149 f.

Folglich mutierte auch die Bestimmung für Dada und die Dadaisten. So brachte Ball – in einer Art Wortspiel – den »Rock des Dandyisten und Dadaisten« eng zusammen oder merkte – »fürs deutsche Wörterbuch« – an: »Dadaist: kindlicher, donquichottischer Mensch, der in Wortspiele und grammatikalische Figuren verstrickt ist.« Oder: »Der Dadaismus – ein Maskenspiel, ein Gelächter? Und dahinter eine Synthese der romantischen, dandyistischen und – dämonistischen Theorien des 19. Jahrhunderts?« Diese Verschiebung in der Bedeutung, die nicht eigentlich im Widerspruch zu früher getroffenen Bestimmungen steht, diese aber doch modifiziert und einengt, ist deshalb von besonderer Bedeutung, weil sie in der resümierenden Betrachtung Balls auf den Züricher Dadaismus, dessen führender Kopf er war, wie im allgemeinen Urteil entscheidendes Gewicht erhielt. Angestoßen durch die revolutionären Ereignisse in Rußland, erinnerte sich Ball, daß während der Zeit des *Cabarets* in der Spiegelgasse vis-à-vis »Herr Ulianow-Lenin« gewohnt habe und daß zeitlich parallel zur Eröffnung der *Galerie* die Russen nach Petersburg gereist seien, »um die Revolution auf die Beine zu stellen«, und er fragte sich – mit der Tendenz, die Frage positiv zu beantworten:

> »Ist der Dadaismus wohl als Zeichen und Geste das Gegenspiel zum Bolschewismus? Stellt er der Destruktion und vollendeten Berechnung die völlig donquichottische, zweckwidrige und unfaßbare Seite der Welt gegenüber? Es wird interessant sein zu beobachten, was dort und was hier geschieht.«[10]

10 Ebd., S. 167. – Dieses Zusammentreffen von künstlerischer und politischer Revolution in der Züricher Spiegelgasse ist als Faszinosum immer wieder aufgegriffen worden; zuletzt von Peter Weiss im zweiten Band seiner *Ästhetik des Widerstands*, Frankfurt a. M. 1978, S. 58 f.:

»Dieser Tumult, nach dem wahllosen Griff ins französische Wörterbuch, am achten Februar Sechzehn, zum Wort Dada, ließ uns zeitweise unsre Überzeugung vergessen, daß die materielle Revolution von der geistigen untrennbar war. Die Künstler in der Spiegelgasse waren sich ihrer eigentlichen Aufgabe, nämlich, die politische Revolution zu ergänzen, ebensowenig bewußt wie die Politiker, die der Kunst keine umwälzenden Fähigkeiten zutrauen wollten. Huelsenbeck, Ball, Tzara, Arp und die andern trommelnden, auf der Bühne frei assoziierenden Poeten erklärten alle

Die entscheidenden Schritte des Züricher Dadaismus waren jedoch, als diese Sätze geschrieben wurden, bereits getan. Huelsenbeck war bereits Januar 1917 nach Deutschland zurückgekehrt, direkt veranlaßt, wie er selbst sagt, durch die »Schließung des Kabaretts«. In Berlin geriet er an den Kreis um Franz Jung und veröffentlichte in der Zeitschrift *Neue Jugend* den Manifest-Aufsatz *Der neue Mensch*. Er arrangierte zusammen mit Däubler, Max Herrmann-Neisse, George Grosz und Twardowsky den ersten Berliner Dada-Vortragsabend »in einem der oberen Räume der Neumann-Galerie« und gründete später zusammen mit Grosz, Franz Jung, Raoul Hausmann und Johannes Baader den *Club Dada*. Das *Dadaistische Manifest* von 1918 vereinte die Schweizer und Berliner Dadaisten.
In Berlin diente das Schlagwort ›Dada‹, das Huelsenbeck aus der Schweiz herübergebracht hatte, von Beginn an als Bezeichnung für recht eigenständige Entwicklungen. Mit Blick auf die eigenen Provokationen, hinsichtlich des politisch-ästhetischen Engagements der Gruppe um die Zeitschrift *Neue Jugend* mit John Heartfield und hinsichtlich des Drangs zur »direkten Aktion« bei Hausmann und Baader konnte Jung zu Recht behaupten, die lediglich kunstästhetischen Reformen in Zürich

politischen und sozialen Ambitionen für faul und korrupt, sie verachteten die Besonnenheit, das Planen, als Voraussetzung für den Erfolg der Revolution, sahn nur das Chaos als fruchtbar an, bemerkten dabei nicht, wie sie Gefahr liefen, das Gestürzte schon wieder durch etwas Mystisches, Irrationales zu ersetzen. Was sie produzierten, nannten sie Antikunst. Uns dagegen lag nichts daran, mit den Werken der Vergangenheit zu brechen, wir sahn zwischen ihnen und den Zeugnissen neuer gesellschaftlicher Verhältnisse die historische Kontinuität. Mit der Loslösung von frühern Leistungen hätten wir uns in einen luftleeren Raum versetzt. So kam es, daß sich unsre Zustimmung gegenüber vielen Manifestationen mit einer Abwehr verbinden mußte, daß wir den Darstellungen oft einen andern Sinn gaben, als von den Urhebern beabsichtigt. Seit dem Frühjahr Sechzehn beherbergte die Spiegelgasse die ganze Revolution, denn nun war auch Lenin dort eingezogen. Der Alte, wie wir ihn nannten, denn einem solchen glich der Fünfundvierzigjährige schon, mit seinem fast kahlen Schädel, verurteilte den Spleen der Künstler, die Verherrlichung des Unnützen, wie sie bei den Vorstellungen in der Grotte zum Ausdruck kam. Hoch oben an der buckligen Gasse, da fand das Planen statt, tief unten, da entlud sich die phantastische Unvernunft. Die Spiegelgasse wurde zum Sinnbild der gewaltsamen, doppelten, der wachen und der geträumten Revolution.«

hätten mit den parallelen Herausforderungen in Berlin – »von einzelnen zunächst an die einzelnen« – nur wenig zu tun gehabt, Huelsenbeck sei deshalb ein »Fremdkörper« geblieben, ohne den »geringsten Einfluß«: »Er wurde als Anhängsel geduldet, als eine Art Alibi für den Namen Dada, mehr nicht.« Das spielt die Bedeutung, die Huelsenbeck zweifellos hatte, herunter, macht aber deutlich, daß die Entwicklung des Dadaismus mit dem *Cabaret Voltaire* und der *Galerie Dada* in Zürich nicht abgeschlossen war, sondern – im Gegenteil – an unterschiedlichen Orten neu aufgenommen werden konnte. Huelsenbeck seinerseits setzte sich, als er 1920 im Steegemann-Verlag *En avant dada. Die Geschichte des Dadaismus* veröffentlichte, gegen den Rest-Dadaismus der *Galerie Dada*, den er allerdings nicht mehr aus eigener Anschauung kannte, ab. Dort habe man in »genialischer Willkür« kubistische, expressionistische und futuristische Bilder gezeigt, eine schon »sehr alte Sache« und »direkt rührend«:

> »Es war so weit gekommen, daß man sich die Bilder des Berliner Kunstmaklers Herwarth Walden (der seit langer Zeit mit abstrakten Kunsttheoremen Geschäfte machte) auslieh und sie den erstaunten Schweizer Dickköpfen als etwas Außerordentliches vorsetzte. In der Literatur verfolgte man primitive Tendenzen. Man las mittelalterliche Prosa, und Tzara machte sich den alten Bodenstedtschen Scherz, daß er selbstgedrechselte Negerverse als zufällig aufgefundene Reliquien einer Bantu- oder Winnetoukultur den wiederum sehr erstaunten Schweizern zum besten gab. Es war eine traurige Versammlung von Dadaisten. Eine l'art pour l'art Stimmung liegt über der Galerie Dada, wenn ich sie jetzt betrachte – das war ein Maniküre-Salon der feinen Künste, wo die alten Damen hinter den Teetassen den Ausschlag gaben, die ihre schwindende Sexualkraft mit einer ›Verrücktheit‹ zu befeuern suchten.«[11]

Die internationale Bedeutung des Dadaismus herauszustreichen, wählt Huelsenbeck das Bild: der Dadaismus sei den

11 Richard Huelsenbeck, *En avant dada. Die Geschichte des Dadaismus*, Hannover 1920, reprogr. Nachdr. Hamburg 1976, S. 25.

»Herren in Zürich« nun »ernsthaft über den Kopf« gewachsen. Während ›Dada‹ die Welt eroberte, sei man in Zürich weiter in seinem Stammcafé sitzengeblieben und habe sich gegenseitig die Zeitungen vorgelesen, »die aus aller Herren Länder kommen und durch ihre Entrüstung zeigen, daß man mit Dada irgend jemand ins Herz getroffen hat«:

> »Der wirkliche Sinn des Dadaismus ist erst später in Deutschland von den Personen, die ihn mit Eifer propagierten, erkannt worden, und diese Personen haben sich dem Wert der Stoßkraft und der Propagandamöglichkeit des Wortes dann als Dadaisten eingefügt.«[12]

*Waltraud Wende-Hohenberger Karl Riha*

12 Ebd., S. 26.